Z世代のアメリカ

三牧聖子 Mimaki Seiko

はじめに

アメリカは今、政治・外交・社会、さまざまな意味で転換期にある。本書はこの転換期のアメリカを、１９９７年から２０１２年の間に生まれ、今後いよいよアメリカ社会の中心となっていくＺ世代の視点に注目しながら考えていく。現在アメリカの人口の２割を占めているＺ世代にとって、社会の多様性はデフォルト（初期値）である。アメリカは２０４０年代には、非ヒスパニック系の白人がマイノリティとなり、ますます人種的に多様な社会になると見込まれている。多様化しているのは人種構成だけではない。宗教や価値観、ライフスタイル、国家観や世界認識も多様化している。

本書がこの世代に注目する最大の理由は、この世代が、歴史的にアメリカの政治外交を特徴づけてきた「例外主義（exceptionalism）」的な観念に囚われず、新たなアイデンティティや世界との関わり方を模索する世代だからだ。第一章で詳述するが、「例外主義」とは、アメリカの比類のないパワーや道義性を誇り、アメリカを諸国家を導く存在とみなす観念のことである。こうした観念はしばしば独善的な対外行動となってあらわれ、アメリカと世界との関わり方に多くの歪みを生み出してきた。

しかし、この観念に変化が起きている。もちろん今日でもアメリカは依然として強国で、特にその軍事力は世界でも突出している。しかしZ世代の肌感覚では、「豊かで強いアメリカ」は過去のものになりつつある。世論調査会社ギャラップの２０２０年の調査によれば、「アメリカ人であることを非常に誇りに思う」と回答したZ世代の若者は、他の世代より突出して低く、わずか20%だった。

彼らが生きてきたこの20年間のアメリカを考えれば、自国への肯定感の低さは納得がいく。アメリカは、人種差別や富の格差、脆弱な社会保障など、深刻な国内問題に向き合うことなく、アフガニスタンやイラクなど、世界各地で軍事行動に乗り出し、巨額のお金を浪費して、多くの人命を犠牲にしてきた。肥大化する軍事費は社会保障費を圧迫し、教育費は高騰を続ける。格差は拡大を続け、人種差別や憎悪に基づく暴力が蔓延(まんえん)している。この世代にとっては、国内に山積する問題にもがき苦しむ「弱いアメリカ」こそが現実なのである。

しかし、若者たちは絶望しているばかりではない。この世代は、アメリカが抱える問題や、過去に行ってきた不正義を見据える強さも持っている。声をあげ、さまざまなアクションを起こして、新しいアメリカを求めている。これらの世代がアメリカ社会の中心になっていくとき、どのような新しいアメリカが生まれるだろうか。そのアメリカは、今世界が切に求めている平和に、どのように貢献する存在になるだろうか。

もちろんよりよい未来への希望は、「アメリカのZ世代」の行動だけに託されているわけではない。より年長の私たちは、この世代からの問題提起をどのように受け止め、「Z世代のアメリカ」「Z世代の平和」に向けて、どのように協働していけるだろうか。本書は、Z世代に生まれつつある新しい認識や動きに着目しながら、未来のアメリカ、未来の平和を展望しようとするものである。

Z世代のアメリカ　目次

第一章　例外主義の終わり——「弱いアメリカ」を直視するZ世代

戦争はもうこりごり

「Z世代は反戦運動に再び火をつけるだろう」[*1]。2022年1月、若者向けの*Teen Vogue*誌にこのような論稿が掲載された。Z世代はアメリカの強さより弱さを、その善なる部分より悪しき面を存分に見て育った世代だ。2000年代のアメリカは、対外的にはアフガニスタン・イラク戦争後の膠着(こうちゃく)、肥大化する戦争関連費用に苦しみ、対内的には2008年のリーマン・ショック後の長い不況に見舞われ、貧富の格差も極限まで広がった。

戦争はもうこりごり——こうしたZ世代の反戦感情と運動に、ロシアのウクライナ侵攻は大きな挑戦を突きつけている。生まれてこのかた、若者たちが目撃してきた戦争は、いずれもアメリカから仕掛けた、米兵と現地勢力との間に圧倒的な力の非対称性が存在する戦争であった。米兵の命も奪われたが、それよりも圧倒的に多くの無辜(むこ)の市民の命が奪われた。しかし、ウクライナ戦争はまったく異なる戦争だ。若者たちは、他国からいわれもない侵略を受けた国に対し、アメリカは何をすべきか、何ができるのか、という新しい問いを突きつけられている。

もしアメリカが、原理的な反戦の立場をとって、侵略されたウクライナへの武器支援を完全にやめれば、平和は訪れるのだろうか。ウクライナの領土や主権が大幅に損なわれたうえで、ひとまず停戦は実現されるかもしれない。しかし、それは本当に平和と呼んでよいものであろうか。他方で、際限ない武器支援の先に本当に望ましい平和は訪れるのだろうか。ロシアのような軍事大国を屈服させることは可能なのだろうか。反戦を掲げてきたZ世代は今、こうした厳しい問いと現実に直面している。

以下ではまず、「反戦世代」の台頭の背景となった21世紀の「テロとの戦い」と、それを支えてきた「例外主義」と呼ばれる思想について見ていこう。

ドナルド・トランプ――「例外主義」を放棄した大統領？

「アメリカは、自分たちを政治的な啓蒙の中心とみなし、世界の大部分の人々にとっての教師とみなす傾向がある」。対ソ封じ込めなど、冷戦初期のアメリカ外交の基調に大きな影響を与えた外交官、ジョージ・F・ケナンの言葉だ。[*2] ケナンは、アメリカが民主主義や人権の「教師」を自負し、特に非西洋諸国に対し、その地域や国が独自に育んできた文化や歴史へ敬意を払うことなく一方的に、しばしば軍事力を伴って介入する傾向に、強い違和感と警戒心を抱いていた。

しかし今日私たちが見ているのは、冷戦時代にケナンが危惧（きぐ）したのとは真逆の、自信を失うアメリカであり、対外介入に慎重になるアメリカだ。その背景となっているのは、2001年の9・11同時多発テロ事件を受け、ジョージ・W・ブッシュ政権が始めた「テロとの戦い」とその帰結だ。今日に至るまで20年超に及んでいるそれは世界に多くの破壊と犠牲を生み、アメリカ経済や社会にも負担となって大きくのしかかっている。

「テロとの戦い」のコストを分析している米ブラウン大学ワトソン国際・公共問題研究所の「戦争のコスト」プロジェクトによれば、過去20年間でアメリカが軍や作戦を展開してきた国は少なくとも80か国に及び、その費用の総額は計8兆ドル（880兆円）にのぼる。戦争によって命を落とした米兵の人数は7000人を超え、敵対する兵士や地元の民間人を含めた全世界の死者の総計は90万人前後に及ぶ。[*3]「テロとの戦い」がもたらす疲弊は、ブッシュに続くバラク・オバマ政権（2009—2017）の外交を決定的に方向づけた。その外交は、縮小するアメリカのパワーという現実と、国際秩序の盟主としてアメリカが果たすべき役割との折り合いを模索するものとなった。

そうした盟主意識を完全に振り切ったのが、2017年に第45代アメリカ大統領に就任したドナルド・トランプだ。トランプの就任演説で貫かれていたのは「世界に搾取(さくしゅ)され、弱くなったアメリカ」というネガティブな自国像であった。中間層が痩(や)せ細り、多くの人々が貧困層に転落しているアメリカの現状を「大惨事」と言い表す悲観的なスピーチのトーンは、力強いアメリカと、自国に開かれた明るい未来をうたってきた歴代政権の就任演説とは一線を画していた。

トランプが「大惨事」の根本原因として糾弾したのが、アメリカの、トランプの目から見ればあまりに「利他的」な世界関与であった。トランプによれば、「何十年も前から私たちは、アメリカの産業を犠牲にして外国の産業を豊かにしてきた。この国の軍隊が悲しくも消耗していくのを許しながら、外国の軍隊を援助してきた。自分たちの国境防衛を拒否しつつも、外国の国境を守ってきた。アメリカのインフラが荒廃し衰退する一方で、海外では何兆もの金を使ってきた。我々は、この国の富と力と自信が地平線の向こうで衰退していく間に、よその国々を金持ちにしてきた」のであった。そしてトランプは、このような利他的で、自己犠牲的な世界関与は過去のものにしなければならないとして、今後はただひたすら国益を追求すること、「アメリカ第一」でいかねばならないと宣言したのである。[*4]

ここから、トランプは「例外主義」を放棄した大統領ともいわれる。[*5] 例外主義とは、アメリカは物質的・道義的に比類なき存在で、世界の安全や世界の人々の福利に対して特別な使命を負うという考えである。『アメリカ外交辞典』によれば、対外政策における「アメリカ例外主義」とは、（1）アメリカは人類史において特別な責務を担っており、（2）他国に対してユニークであるだけでなく、優越していることへの信念として定義され、より具体的には、（a）堕落した「旧世界」ヨーロッパと対置される「新世界」アメリカという自負、（b）アメリカは歴史上のいかなる大国とも異なり、堕落や衰退の危険を免れ、革新的な国家であり続けられるという自信、（c）アメリカはその行動によって人類史を進歩に導かねばならないとする使命感、として定義される。

確かにトランプの就任演説には、「アメリカを再び偉大に（Make America Great Again）」（通称「ＭＡＧＡ」）という、将来に向けた約束も含まれていた。しかし、このＭＡＧＡという約束は、失われた雇用を回復し、経済を再び成長軌道に乗せるという物質次元の話であり、またあくまでアメリカ国民に対象を限定した約束であった。それは、アメリカの道義的な卓越性や世界に対する恩恵性を含意する、歴史的な「例外主義」的発想とは根本的に異なるものだ。事実、トランプはそのような道義的な意味での「例外主義」を嫌ってすらいた。２０１５年、「例外主義」についての考えを問われたトランプは、オバマ大統領がこの言葉を用いるのを聞いて、世界の諸国家を侮辱（ぶじょく）していたように感じていたと述べ、「この言葉は好きではない」と回答している。[*6]

「例外主義」的な意識がどのような外交として表出するかはさまざまだが、歴史を見れば、その方向性は大きく言って二つだ。一つは、物質的にも道義的にも秀でた高潔なアメリカは、権力政治がうごめく腐敗した世界にはなるべく関わらないでいるべきだという「孤立主義」である。17世紀にアメリカが建国されて以来採られたのはこちらの方針だった。しかし、20世紀に起こった二つの世界大戦を通じ、アメリカは世界秩序の維持に関心を持たざるを得なくなっていく。そこで、物質的にも道義的にも「例外」的に秀でているからこそ、アメリカは国際秩序の盟主として秩序の維持につとめなければならないという「国際主義」の論理が生まれていった。このようにアメリカは、自国は特別であるという建国以来の意識を問い直すことなく、むしろ肥大化させて世界に介入するようになった。そのことで、介入される側の現地社会との間でさまざまな軋轢を生み出し、平和を促進するどころか、まったく逆の帰結も生んできた。

このようにアメリカ外交の歴史を、「例外主義」的意識から生み出された二つのパターンの表れの歴史として見たとき、トランプ外交がこの歴史に重大な断絶をもたらすものであったことは明らかだ。その就任演説に色濃く表れていたのは、「普通の国」願望である。

つまり、今後アメリカは、他国がそうしてきたように、もっと自国の国益を赤裸々に追求すべきであり、自国の利益にも安全にも寄与しない対外介入などすべきではないというわけである。「アメリカ第一」を公然と掲げたトランプの当選は、アメリカの「例外主義」的な意識に支えられてきた国際秩序が重大な転換点にあることを意味していた。

「逆・例外国家」？――バーニー・サンダースの問い

２０１９年末に世界に拡大した新型コロナウイルス感染症は、アメリカの政治社会、そしてその世界との関わり方においてさまざまな影響を与えた。世界中の国々で甚大な数の感染者・死者が出る中でも、アメリカの数は突出していた。新型コロナ危機によって、アメリカはもはや世界に向かってその強さを誇れる存在であるどころか、軍事や経済の大きさに比して、その社会保障制度に致命的な脆弱性を抱えた「例外的」な国であることが露呈したのである。

長らくアメリカは、その豊かさゆえに、世界でも「例外的」に社会主義がない国とみなされ、自らもそのように自認してきた。長い米ソ冷戦を背景に、「社会主義がない」という自国認識が強化された面もあった。「社会主義がない」とは、その豊かさや自由への誇りや優越感を伴って主張されることだったのである。しかし、アメリカで貧富の格差が拡大を続ける中で、状況は根本的に変わり、今日ではますます多くのアメリカ国民が「社会主義がない」現状に疑問と不満を募らせている。

2019年5月のギャラップ社の調査では、43%の回答者が社会主義を「よいもの」だと回答した。1942年の25%からの劇的な上昇だ。[*7] 冷戦は過去のものとなり、新自由主義グローバリズムと格差の拡大が圧倒的な現実となりつつある。これだけの経済大国であるアメリカが、新型コロナ感染症の最大の被害国となっている原因に、新自由主義が医療や福祉の領域にまで持ち込まれ、効率や採算が人間の生命や健康よりも優先されてきた経緯があることは、医学誌も指摘するところだ。[*8] 今日、アメリカに「社会主義がない」ことは、かつてのような優越感や自信を伴って主張されることではない。ますます多くのアメリカ国民が、なぜ先進国でありながら、ここまで社会保障制度が未整備なのかと不満を募らせている。

コロナ危機が甚大な被害をもたらすにつれ、アメリカの物質的・道義的優越性をうたう「例外主義」が真剣な問い直しに晒(さら)されていったのは当然であったといえる。アメリカは「例外的」に卓越した国家であるどころか、先進国では「例外的」な欠陥国家である――こう主張して、アメリカの「例外主義」をめぐる言説を根底からひっくり返したのが、民主社会主義者を自認して国民皆保険や労働者保護の強化、最低賃金の上昇を掲げ、2016年、2020年大統領選の民主党予備選で善戦したバーニー・サンダースである。サンダースはSNSの発信でも「例外主義」という言葉を使って国民にアメリカ社会の窮状を訴えてきた。例えば「アメリカ例外主義は、アメリカがパプアニューギニアを除き、有給の産休がない唯一の国であることを意味してはならない」（2016年5月5日Twitter）、「長年、アメリカの例外主義は主要国の中で唯一、有給の家族休暇、病気休暇を1日たりとも保障しないことを意味してきた。今こそ国の優先することを変更し、国民に有給休暇を保障すべきときだ」（2021年10月6日Twitter）といった主張である。

こうした主張ゆえに、サンダースは周囲から「急進主義者」というレッテルを貼られることもしばしばだ。しかし自身は当たり前で穏当な主張をしていると疑わない。2020年2月19日、ネバダ州ラスベガスで行われた民主党候補者の討論会で、革命路線を支持しているのかと問われたサンダースは、キング牧師の言葉を引用しながら、自身が掲げる「民主社会主義」が意図するところについてこう答えている。

「私たちの社会は、すでに多くの点で社会主義的だ。ただし、その社会主義は富裕層のためだけのものであり、貧しい人々には荒削りの個人主義があるだけだ」

また2020年10月、現職大統領のトランプが新型コロナに感染し、集中治療の末、短期間で劇的な回復を見せると、サンダースはすかさず、トランプと同じ治療をどのような経済的な境遇にある人々も受けられなければならないとして、持論である国民皆保険を再び力強く掲げた。

富裕層にとって今のアメリカは世界で最高の国かもしれないが、労働者にとってはそうではない——常に労働者や貧困層の視点から政治社会を考えるサンダースが模範とみなすのは、デンマークなどの北欧諸国である。サンダースは2013年、デンマーク大使のピーター・タクソ＝イェンセンを地元のバーモント州に招聘した際にエッセイを書いた。そこには次のような文章が盛り込まれていた。


デンマークでは、「自由」が何を意味するのかについて、（アメリカとは）まったく異なる理解がある。デンマーク人が、経済的な不安定さがもたらす巨大な不安を終わらせるために歩んできた長い道のりから、アメリカは多くを学ぶことができる。

彼らデンマーク人は、一握りの人々が莫大な富を保有することを可能にする制度を推進する代わりに、子どもや高齢者、障害者を含むあらゆる人が安心して生きられる最低限度の生活水準を保障する制度を生み出したのです。[*9]

サンダースの主張は、さまざまな批判を招いてきた。デンマークのモデルを、歴史も法制度もさまざまに異なるアメリカにそのまま適用できるわけではないといった批判や、デンマークは国民に対する手厚い福利厚生を実現する一方で、移民や難民への排外的な政策を強めており、サンダースはそうした負の側面を見ていない、などの批判である。しかし、アメリカ的な「自由」は唯一のものではなく、もしかしたら最善のものでもないかもしれないという主張は、アメリカを「例外」と見る観念を根本から問い直すものであった。

こうしたサンダースの危機感は、今日のアメリカ社会でますます多くの市民が共有しているところだ。「アメリカ人であることを誇りに思う」と回答する人の割合が年々減少している昨今のアメリカであるが、より詳細に、「自国のどのような面を誇りに思い、どのような面を誇りに思えないのか」という質問になると、アメリカの科学技術や文化・芸術に関しては、「誇りに思える」と回答する割合は9割近いが、社会保障制度や政治システムに関しては「誇りに思えない」と回答する割合が6割を超え、「誇りに思う」と回答する割合を凌駕する。*10 アメリカは、先進国ならばすでに実現されているはずの福利厚生すら備えていない「逆・例外国家」であるというサンダースの主張は、今日のアメリカで決して異端ではない。

サンダースの問題提起に、最も熱狂的に呼応してきたのは若者たちだ。この世代は、政治への絶望も深い。２０１０年の連邦最高裁の判決によって、「スーパーＰＡＣ」と呼ばれる、献金額の上限がない政治資金管理団体が認められるようになって以降、ビリオネア（大富豪）の献金は激増し、選挙に甚大な影響を与えてきた。Ｚ世代は物心がついてからずっと、金がものを言う政治を見せつけられてきたのだ。政治に希望など持ちようがなかった彼らにとって、「ビリオネアから民衆の手に政治を取り戻す」をスローガンに、公立大学の学費無償化や学生ローン債務の取り消し、最低賃金の15ドルへの引き上げなどを掲げて選挙を戦うサンダースは、政治への希望をつなぐ存在だった。世代別で見たとき、サンダースが掲げる国民皆保険を最も切実に欲していたのもこの世代だ。ＮＰＲの世論調査によれば、自分や家族の誰かが医療費の支払いに困っているかという質問に対し、35歳以下の回答者の41%がイエスと答えた。年長世代でイエスと答えたのが１〜２割台だったことに比して、突出して高い値だ。*11

サンダースの選挙キャンペーンは、3ドルという少額を求める募金メールとともに展開され、2020年大統領選の際には、キャンペーン開始1週間で35万人以上の寄付者から1000万ドルという巨額の資金を集めた。1人あたりの平均寄付額はおよそ27ドルだった。サンダースは、その掲げた政策のみならず、選挙をいかに戦うかにおいても「革命」をもたらしたのである。若年層の政治意識や政治行動を調査する、市民学習・参加に関する情報研究センター（CIRCLE）の調査によれば、2016年大統領選に向けた候補者指名争いにおいて、サンダースは30歳未満の有権者票でヒラリー・クリントンやトランプを圧倒した。同年3月時点で、サンダースはクリントンとトランプの2人を合計した票よりも、およそ30万票も多くの若者票を獲得していた。

未完のサンダース革命

しかし、結局サンダースは大統領候補になれなかった。民主党の大統領候補の指名争いで、2016年はクリントンに、2020年はバイデンに敗北した。アメリカの選挙では「勝てる見込みがある（electability）」という言葉がよく使われる。サンダースが掲げる政策や理念、労働者や弱者を見捨てない政治観には賛同するが、本選で勝利するにはコアな支持層だけではなく、無党派層も一定数取り込む必要がある。無党派層はサンダースをラディカルすぎると忌避するだろう、クリントンやバイデンのような中道の重鎮たちは、サンダースに比べると面白味がなく、期待感もないが、しかし「勝てる見込み」がよりあるのは彼らだろう、そうした論理だ。

例えばバイデンがサンダースに圧勝したミシシッピ州の予備選でも、有権者の6割がサンダースのメディケア・フォー・オール（国民皆保険）法案を支持すると答えていた。政策には賛同するが、勝てるかわからないサンダースより、無難だが、より勝てそうなバイデンが選ばれた形だ。予備選の段階では、共和党の政治家はもちろん、民主党のライバルたちも、もしもサンダースが大統領に選ばれれば、アメリカはキューバやベネズエラのような抑圧的な社会主義政権になってしまうかもしれないと、サンダースがいかに危険な候補かを煽り立てた。

しかし、サンダースは「急進左派」なのだろうか。確かに、「社会主義がない国」であることをアイデンティティの一つとしてきたアメリカにおいては、そうみなされるのかもしれない。しかし、サンダースは市場経済を否定しているわけでもなく、その政策はヨーロッパの中道左派政党が主張している程度のものである。変わらなければいけないのは、国民皆保険のような、人間が安心して生きていくために欠くことのできない制度すら「急進左派」とレッテル貼りして、その導入を否定し続けてきたアメリカの政治や社会の方ではないだろうか。

大統領になることは叶わなかったが、サンダースは1人の上院議員としてその後も新しい国のかたちの模索を進めている。2020年6月、上院軍事委員会は、2021年度の国防予算の大枠を定める総額7400億ドルの国防権限法案を公表し、翌月、同法案は上下院で賛成多数で可決された。しかし、この国防費にすべての議員が満足したわけではない。2020年の民主党大統領候補の指名争いで善戦したサンダースやエリザベス・ウォーレンら進歩派議員は、10％の国防費削減を主張したのである。

この提案の趣旨について、サンダースは次のように説明している。脆弱な社会保障制度しか持たないアメリカにとっては、いまや戦争よりも感染症の方が現実的な危機であり、国防費の増大より社会保障と国民福利の充実こそが、最大の安全保障政策である。このたびのパンデミックの教訓は、安全保障とは、爆弾、ミサイル、ジェット戦闘機、戦車、潜水艦、核弾頭、その他の大量破壊兵器を製造することだけを意味するのではなく、むしろ国民生活の向上こそが最大の安全保障であるということだ、と。*12

サンダースらの国防費削減要求は議会では不成立に終わっているが、国民の間には着実に浸透しつつある。進歩派議員たちの政策立案にも協力しているデータ・フォー・プログレスの最新の世論調査によると、有権者の56％が新型コロナ対策や教育、医療、住宅などに充てるために国防費を10％削減することを支持し、削減に反対する人の27％を大きく上回っている。

アメリカが今、喫緊で取り組むべき安全保障上の課題は何か、巨額の軍事支出よりも社会保障の充実こそが最も必要なのではないかという進歩派の問題意識は、社会で共有されつつある。

バイデンに受け継がれた「アメリカ第一」

2020年の大統領選は民主党のバイデンが制し、2021年1月、新政権が発足した。バイデン政権がまず取り組んだのは、トランプの政策的な遺産の否定であった。バイデンは大統領就任直後から多くの大統領令に署名したが、それらの多くは、トランプ政権下で進められた排外主義的・単独行動主義的な政策を巻き戻し、世界に開かれ、他国と協調するアメリカを再び打ち出すものだった。国内的には、メキシコとの国境付近の「壁」建設は中止され、イスラム教徒が多い中東やアフリカの国々からの入国禁止措置の撤廃も決定された。前政権下で極端に制限された難民受け入れも拡充され、1年に受け入れる難民の数は1万5000人から12万5000人へと引き上げられた。

さらにバイデンが就任から世界に向かって強くアピールしてきたのが、国際社会へのアメリカの復帰とそのリーダーシップの復活である。就任初日、バイデンは温室効果ガス排出削減等のためのパリ協定への再加入と、世界保健機関（WHO）への復帰に関する大統領令に署名した。2021年2月4日、バイデンは国務省で大統領就任後初めてとなる外交問題に関する演説を行い、「アメリカは戻ってきた」と強調し、同盟関係を修復して世界に再び関与する意向を明確に示した。[*13] バイデン演説には、「アメリカ第一」を掲げて、多くの国際組織や国際協定に背を向け、同盟国間の協調を乱し、秩序を攪乱（かくらん）したトランプ外交との差異化を意識した言葉が散りばめられた。

しかしレトリックではなく、その実態において、バイデン外交はトランプ流の「アメリカ第一」と決別していなかった。アメリカが取り組むべき喫緊の課題は国内に山積しており、大々的な対外関与の余裕はない——バイデン政権の外交もますます内向きになる世論を無視できなかったのである。2月4日の演説の後半部では「中間層のための外交政策

(foreign policy for the middle class)」の重要性が強調された。それは、今後アメリカは海外でのあらゆる行動について労働者家庭への影響を念頭に置かねばならない、というものであった。

さらにバイデンはこのようにも述べた。アメリカが外交を重視するのは、何も世界のために正しいことをやろうとするからではない。それがアメリカの「赤裸々な利益(naked self-interest)」だからだ、と。トランプほど赤裸々な訴えではないが、中間層に過大な負担をかけるような対外関与への決別宣言であった。一方で国際社会におけるリーダーシップをうたい、他方でアメリカ中間層の利益の確保をうたう。引き裂かれた二つの方向性が、統合されることなく並立したバイデンの演説には、今のアメリカが置かれた困難な状況が率直に映し出されていた。アメリカは「例外的」な国家であり続けようとする意思を完全に失ってはいない。しかし、アメリカ国内の諸条件は、その課題をますます困難なものとしている。

アフガニスタンからの撤退

2021年4月14日、バイデンは20年にわたる「テロとの戦い」において、一つの画期となる決断を表明した。この日バイデンは、2001年10月、ジョージ・W・ブッシュ大統領がアフガニスタンへの空爆開始を宣言したホワイトハウスの「条約調印の間」で演説を行い、「アメリカ史上最長の戦争を終えるときだ」と宣言。アメリカ同時多発テロから20年を迎える9月11日までにアフガニスタンの駐留米軍を完全撤退させると表明した。アフガニスタンの安定化の見通しがつかないままの完全撤退については、共和党のみならず、政権内からも反対の声があがっていた。中央情報局（CIA）のウィリアム・バーンズ長官は14日の上院公聴会で、米軍が撤退すれば、同地域の軍事力低下につながるとあらためて懸念を表明した。完全撤退は、こうした懸念の声をバイデンが押し切る形で決定された。

その後、撤退期限は8月末に早められ、撤退を完了させたバイデンは、アメリカの目的はアメリカ本土に対するテロ攻撃の再発を防止することにあったとし、その目的は実現されたと主張して、次のように宣言した。「アメリカが他国を作り変えるために大規模な軍事作戦を展開する時代を終わらせることだ[*14]」。もっともこれはオブラートに包まれた表現で、より率直にバイデンの心境を表現していたのは、首都カブールがタリバンの手に落ちた翌日の8月16日、それでも米軍の撤退を進める決意を国民に示した演説の中の次の言葉だろう。それはトランプと見間違えるような、赤裸々な「アメリカ第一」宣言だった。

アフガニスタン軍が戦わないのに、アメリカ人の娘や息子をあと何世代、アフガニスタンの内戦に送り込めばいいのだろうか。アメリカ人の命をあと何人分、アーリントン国立墓地に延々と並ぶ墓石に変えたらいいのか？　その価値があるだろうかと。（中略）私の答えははっきりしている。私は、過去に犯した過ちを繰り返したくない。アメリカの国益にならない紛争にいつまでも留まり戦うこと、外国での内戦を激化させること、米軍を延々と派遣して国を作り変えようとすること。このような過ちを繰り返してはならないのだ[*15]。

このバイデンの時代認識は、国民にも広く共有されていた。確かに米兵を含む人命の犠牲も出しながらのアフガニスタンからの撤退は、多くの国民の批判に晒されたが、国民の批判は、撤退時期や撤退方法に集中し、撤退というバイデンの判断自体は過半数に支持された[*16]。

アフガニスタンからの米軍撤退に関する世論の背景には、より大きな世論の潮流がある。昨今のアメリカでは、アメリカはこれまで過剰に世界に介入し、自国を疲弊させてきたと

アフガニスタンで命を落とした兵士も眠るアーリントン墓地を歩くバイデン大統領（2021年4月14日）

いう批判的な意識が高まり、アメリカの国際的な役割をより穏当なレベルに引き下げるべきだという考えが党派を超えたコンセンサスとなっている。各種の世論調査でも、「アメリカは世界の警察をやめるべき」「他国のことより国内問題、特に雇用の問題に取り組むべき」「同盟国に安全保障のコストをもっと負担させるべき」といった見解は、党派を超えて広く支持されてきた。[*17] シンクタンク、シカゴ地球問題評議会が2019年6月に行った調査では、「他国への軍事介入はアメリカをより安全にするか、それともその安全を損なうか」という質問に対し、「安全になる」と回答した人が27％であったのに対し、「安全にならない」と回答した人は46％にのぼった。[*18]

「アメリカにウクライナ支援をする義務はない」

トランプの政治外交のスタイルはさまざまな意味で型破りであったが、歴代大統領や現大統領バイデンとトランプとの決定的な差異の一つは、その「価値」への志向の有無にあった。トランプは、権威主義的なリーダーと「ディール（取引）」することを躊躇わなかった。さらに言えば、中国の習近平やロシアのプーチンらの強権的な政治スタイルに羨望の眼差しすら向けていた。２０１８年、中国で国家主席の任期が撤廃され、習近平が無期限に国家主席を務めることが可能になると、トランプは「いまや習氏は終身大統領だ」との感嘆を表明し、アメリカでも試してみようと口走り、周囲を驚愕させた。プーチンについても長年にわたって「強い指導者」と何度となく称えてきた。トランプの没価値的な世界観において、習やプーチンは、民主主義国家では実現不可能な巨大な権力を手にした、最も成功した指導者たちとして、称賛に値する存在なのだった。

トランプのプーチン評価は、２０２２年にロシアがウクライナに侵攻した後も根本的には変わっていない。トランプは、ウクライナ侵攻という決定的な事態になるまで、ロシアの侵攻を容認するような主張を続けていた。ロシアがウクライナに侵攻する2日前の2月22日、ラジオ番組に出演したトランプは、プーチンがウクライナ東部2州の独立を承認したことを「天才だ」と褒め称えた。さらには、ウクライナ国境付近へのロシア軍の展開は「平和維持」のためだとするプーチンの詭弁に疑問を呈するどころか、「最強の平和維持軍だ」と称賛し、「我々もメキシコ国境で同じことをできる」とすら述べた。ウクライナ侵攻後はトランプもプーチン礼賛は控え、一時は侵攻を批判するような言動も見せたが、その批判の矛先はプーチンやロシアの軍事行動にではなく、常にバイデンの「弱さと無能さ」に向けられ、「バイデンが、アメリカや世界を第三次世界大戦の瀬戸際に引きずり込んでいる」と政敵を貶める文脈で展開されてきた。

もっとも、ロシアによる軍事侵攻に容認的であったり、戦争が起こった責任のすべてをバイデンに押しつけるかのようなトランプの発言は、その政治家生命にとって致命的な打撃になるどころか、一定の共感すら集めた。２０２２年3月に行われたハーバード大学アメリカ政治研究センターとハリス・ポールの世論調査では、58％の回答者が「トランプが大統領だったらプーチンはウクライナに侵攻しなかっただろう」と答えている。２０２４年の大統領選でトランプを支持するという回答者は、バイデンや副大統領のカマラ・ハリスを支持するという回答者より多かった。[*19]「強権的なリーダーの秩序攪乱的な行動には、こちらも強権的なリーダーで対応するしかない」という信奉は、ウクライナ侵攻を経て問い直されるどころか、むしろ強まっていく可能性がある。

２０２２年5月頃から、トランプとトランプに近い共和党議員たちは、アメリカから遠く離れたウクライナを支援することは国益にならないという「アメリカ第一」の主張を強めてきた。５月半ば、トランプは当時全米各地で深刻化していた粉ミルク不足に言及しながら、議会で審議されていた４００億ドルのウクライナ支援をこう批判した。

「民主党はウクライナにさらに４００億ドルを送ろうとしているが、アメリカの親たちは子どもに食事をさせることとさえ苦労している」

５月末に全米ライフル協会の年次大会に登壇した際も、「学校における子どもたちの安全も実現できていないのに！」とウクライナへの軍事支援を批判している。同月19日、ウクライナ支援のための総額４００億ドル規模の追加予算案は上下院で賛成多数で可決されたが、トランプの主張に共鳴する共和党議員たちが反対に回ったことで、以前よりも反対票が増加した。上院では共和党議員11人が反対し、下院では共和党議員57人が反対した。

ロシアによるウクライナ侵攻は、アメリカに「例外主義」を復活させたともしばしば指摘される。確かにウクライナ戦争においてバイデン政権は国際秩序の盟主を自認し、ウクライナに対して未曽有の支援を行ってきた。侵攻から1年が経った２０２３年２月、バイデンはウクライナの首都キーウを電撃訪問し、ウォロディミル・ゼレンスキー大統領と会談、アメリカは「必要な限り」ウクライナを支援し続けると約束した。これに先立ち、５

億ドル相当の新たな軍事支援パッケージの提供も明らかにしていた。その後バイデンは電車でポーランドに移動し、ロシアによる侵攻開始から1年の節目に際した演説を行い、北大西洋条約機構（NATO）同盟国による結束を訴え、ウクライナへの「揺るぎない」支援を再度強調した。

しかし、戦争の長期化とともに、バイデンの外交姿勢と世論との温度差は広がっている。2022年4月の世論調査では、ウクライナに軍事支援や資金援助をすべきだという回答は7割超に達し、ロシアへの経済制裁をさらに強化すべきだという意見も同様に7割超であったが、[*20] 同年の年末の調査では、支援への支持は5割程度に低下し、これ以上の財政支援を支持しないと答える割合は3割に達した。支持政党別では、民主党支持者は7割程度が「支援を続けるべきだ」と回答したのに対し、共和党支持者と無党派層は4割弱から5割に留まった。[*21] アメリカのウクライナ支援の規模が適正かについては、共和党支持者の5割が「やりすぎている」と回答。[*22] さらにウクライナ戦争で米軍の犠牲を出す事態を受け入れる準備ができていないと回答する人は、ウクライナ支援に肯定的な意見が否定的な意見を圧倒していた侵攻当初であっても、「まったくない」（41％）と「あまりない」（27％）を合わせると7割近くに及んだ。[*23] 戦争が長期化する中でも、派兵への反対は揺らいでいない。

ロシアの公然たる軍事侵攻は、アメリカ外交を再び介入の方向へと引き戻したが、アメリカが他国のために大規模な軍事作戦を展開する時代を終わらせるという、バイデン外交の基本的な前提であり、国民にも広く共有された認識そのものを変えるものではなかったといえる。

例外主義の放棄は平和につながるのか

冷戦時代に著されたアメリカ政治思想の古典『アメリカ自由主義の伝統』（1955年）において、著者ルイス・ハーツは、アメリカは封建制というヨーロッパ的な伝統を欠いた「生まれながらの自由主義社会」であり、それゆえ社会において自由主義が絶対化される傾向があると指摘している。ハーツによれば、絶対化された自由主義への信念は対外政策にも投影され、「汚れた」世界との関わり合いの一切を拒絶する孤立主義と、世界に介入し、アメリカの思う通りに作り変えようとするメシアニズムという、根は同じながら両極の外交が生み出されてきた。このような分析に立脚してハーツは、将来アメリカが、世界の多様な国家との関わりを通じ、その自由主義への硬直した信念を相対化し、国ごとの差異を認め、共存する「成人」へと成長していくことに期待を託した。[*24]

このような期待にもかかわらず、ハーツが生きた時代のアメリカは、米ソ冷戦を背景にアメリカ的な価値観を絶対化し、他国にそれを押しつけるメシアニズムの傾向を顕著にしていった。特に21世紀に入ってからの20年、アメリカは「唯一の超大国」を自負し、アフガニスタンやイラクで武力を用いて旧体制を崩壊させ、アメリカが望ましいと考える政治社会を新たに築こうとしたが、その試みは失敗に終わった。独善的な使命感に駆られた外交がいかに破滅的な帰結をもたらしたか、反省と修正が必要なことは明らかだ。アフガニスタンからの米軍撤退を終えた際の、バイデンによる「アメリカが他国を作り変えるために大規模な軍事作戦を展開する時代を終わらせる」という声明は、今後も妥当であり続けるだろう。

他方で、アメリカが盟主意識を放棄していくことが、より協調的なアメリカ外交や、より覇権的ではない、水平的な国際秩序へとつながっていくとは限らない。むしろ、牽引役の不在により、国際秩序の不安定化がもたらされる可能性も十分にある。ロシアによるウクライナ侵攻は、後者の可能性を突きつけた。強力なリーダー不在の世界を「Gゼロ」と名付けた米コンサルティング会社ユーラシアグループのイアン・ブレマーは、ウクライナ危機を、アメリカが「世界の警察官」たることを放棄し、誰もその役割を引き受けない「G

ゼロ」の世界で起こりうる最悪の出来事と見ている。[*25]

事実、「アメリカ例外主義」を最も声高に批判してきた1人が、プーチンだ。2013年9月、プーチンは*New York Times*紙に「ロシアからの警鐘」と題した文章を寄稿し、「アメリカ例外主義」がいかに危険な考えか、そうした前提に基づいたアメリカの外交がいかに破滅的な結果を世界に生んできたかを訴えている。

プーチンはこう述べる。

外国の内戦への軍事介入が、アメリカにとって当たり前になっていることに私は警鐘を鳴らす。こうした行動はアメリカの長期的な利益になるのか。私はそうは思わない。いまや世界でますます多くの人々が、アメリカを民主主義のモデルと見るどころか、武力のみに頼り、「我々とともにあるか、テロリストの側にあるか」というスローガンを掲げて、徒党を組んでいると考えている。しかし、武力には効果がなく、無意味であることが証明されている。アフガニスタンは動揺しており(中略)リビアは部族や氏族に分断され、イラクでは内戦が続き、毎日何十人もの人が殺されている。

そしてプーチンは、アメリカを特別な存在とみなす「例外主義」は「極めて危険」であり、大国も小国も、豊かな国も貧しい国も、長い民主主義の伝統を持つ国もまだ民主主義への道を模索している国も平等であると訴えた。[*26] アメリカが「例外主義」を放棄し、「アメリカ第一」を掲げて内向きになることは、周辺国に領土や勢力圏を拡張したいプーチンにとっては望ましいことなのだ。

「盟主」不在の国際秩序とどう向き合うか

ウクライナ危機は、アメリカという「盟主」不在の国際秩序に対する私たちの不安を高めている。戦争の最中、中ロは接近し、ともに「多極世界」を促進していくことを宣言している。[*27] その響きとは裏腹に、中ロの「多極世界」論は、覇権そのものを否定するものではない。それはアメリカに代わって中ロを中心とする新たな覇権的秩序を目指す、という性質を色濃く持つものだ。現状打破的な志向を強める中ロを中心とする国際秩序と、アメリカを盟主とする国際秩序。どちらがよいかと聞かれれば、まだ後者ではないか——ウクライナ侵攻の衝撃の中で、アメリカが絶対的なパワーを持ち、「リベラルな国際秩序」が盤石だった時代へのそうしたノスタルジーが生まれるのも、理解できないことではない。[*28]

しかし、アメリカ外交の歴史に鑑みれば、「例外主義」を投げ捨て、国際秩序への役割を放棄したアメリカは確かに困りものだが、肥大化した「例外主義」に駆られたアメリカも秩序にとって望ましくない。「リベラルな国際秩序」論が、秩序の盟主と想定されたアメリカ自身の対外軍事行動やそれがもたらした犠牲から目を背け、アメリカの覇権的役割を正当化する論理となってきたことはますます多くの研究者が指摘するところだ。[*29] 中ロの権力政治に取り込まれた「多極世界」論とも、アメリカ覇権の問題性に目をつぶった「リベラルな国際秩序」とも異なる、より水平的で、安定した国際秩序をいかに展望できるのか。これこそが今、向き合うべき問いではないか。

さらに言えば、アメリカ自身も、もはやかつてのように盟主として振る舞えないことを痛切に自覚している。2022年10月12日、バイデン政権が発表した国家安全保障戦略には、今のアメリカが置かれているジレンマが如実に表明されていた。文書は、「我々の能力を超えるものは何もない」と高らかに宣言しつつ、その一方で「アメリカの安全のためには、世界中の政府や社会がアメリカのイメージ通りに作り変えられねばならないという考えは取らない」と明言していた。[*30] 長期的には、「盟主」アメリカに過度に依存することのない国際秩序論を打ち立てていく必要がある。

この問いは、アメリカだけのものではない。私たちは、アメリカが他国に介入した際には、他国の政治社会を作り変えたり、軍事力で問題を解決しようとする傲慢さを批判しながら、いざ軍事的な危機が起こった際には、アメリカの軍事力を頼みにするというダブル・スタンダードに陥ってきたのではないか。「唯一無二の国（indispensable nation）」を自負し、世界中の紛争に介入するアメリカも、「アメリカ第一」の殻に閉じこもり、他国でいかに凄惨な人命の犠牲が生まれていようと介入しないアメリカも望ましくないとすれば、私たちはどのようなアメリカを、そして国際秩序を望むのか。望ましい国際秩序に向けて日本は何をすべきなのか。日本の私たちも、アメリカの作為・不作為の批判を超えて、この問いに主体的に取り組む必要がある。

ポスト例外主義世代

今のアメリカでは「テロとの戦い」がもたらした国家的消耗、コロナ禍の甚大な被害の経験から、若い世代ほど対外介入に否定的な意見を持っている。2020年6月にギャラップ社が行った調査では、アメリカ人であることを「極めて誇りに思う」または「とても誇りに思う」と答えた成人は63％に留まり、2001年に同社がこの調査を開始して以来最低を記録した。世代別で見ると最も低い値を記録しているのが18歳から29歳までの世代で、アメリカ人であることを「非常に誇りに思う」と回答したのは20％に過ぎなかった。[*31] この世代は、アメリカを度重なる対外介入に導いてきた「例外主義」的な自意識や万能感とは無縁の世代だ。

しかし、こうした傾向を「内向き」と評してしまうのはミスリーディングだ。若者たちは今のアメリカには悲観的で、絶望すらしているが、未来への希望を失ってはいない。この世代は人種・民族的にアメリカの歴史上で最も多様化した世代で、ブラック・ライブズ・マター（BLM）運動の中心的な参加者でもある。運動の参加者には白人も多い。彼らの多くはリベラルな価値観のさらなる促進に未来への希望を見いだし、銃規制や気候変動対策を支持し、よき未来に向けて社会運動にも積極的に関与する。行きすぎた資本主義と経済格差に不満を募らせ、より社会主義的な政策を支持する世代でもある。

対外的には彼らは、グローバル化する世界におけるアメリカ一国の力の限界への冷静な認識から、アメリカは、多少の妥協を伴ったとしても、共通の目的のために他国と協調しなければならないと考え、多国間協調を志向する。アメリカが単独行動主義を強めた2010年代、国連を肯定的に捉える意見は2～3割台と低迷してきたが、近年は国連への肯定的な見解が多数派になっている。そうした傾向を最も強く示しているのがZ世代だ。[*32] 国連財団が10代から30代を対象に行った調査によれば、国連への関与はアメリカの国益にかなうと考える割合は、民主党・共和党支持者ともに過半数となっている。[*33] 若者たちの国際協調主義は、アメリカを取り巻く国際情勢が根本的に変化する中で、自国の弱さを直視することによって生まれているのだ。

確かにロシアのウクライナ侵攻は、国際協調主義の限界を私たちに突きつけている。国連で圧倒的に多数の国々がロシアの侵攻を非難する決議に賛成し、国際社会の意思を示しても、拒否権を持つ常任理事国であるロシアの侵略を止めるために国連ができることには限りがある。また「グローバル・サウス」と呼ばれる新興国は、ロシアの侵攻を批判しつつも、欧米諸国や日本とは一線を画し、ロシアへの制裁には参加しない「非同盟」の立場を貫いている。ロシアに対する国際社会の団結は、そうした意味では限定的だといえる。

しかしそのうえで重要なことは、ウクライナ危機への対応において、アメリカは同盟国や国際社会との協調姿勢を基本的には崩していないことだ。対ロシア政策をめぐり、中国やグローバル・サウスとの間に不一致はあるが、しかし対話を閉ざすこともしていない。アメリカ一国の力の限界をアメリカ自身が自覚している。アメリカの圧倒的な力の優位が失われ、ロシアのように明らかな現状変更を試みる国も現れる中で、いかに平和を回復し、持続させていくのか。国際協調主義をDNAとして組み込んだアメリカのZ世代が、この難問にどう立ち向かっていくのか。私たちも他人事ではなく、自分事としてみていくべきだろう。

第二章　広がる反リベラリズム——プーチンと接近する右派たち

リベラリズムへの敵意が広がるアメリカ

バイデンが大統領就任前から、価値を問題とせず、プーチンら権威主義的なリーダーとの「ディール」も躊躇わないトランプ外交を批判してきたことは前章で述べた通りだ。2018年、バイデンは外交誌*Foreign Affairs*に外交官のマイケル・カーペンターと連名で寄稿し、トランプはロシアが民主主義国家にとっていかに大きな脅威であるかを自覚していないと批判し、政府が頼りにならない以上、議会や企業、そして市民の力で、ロシアの脅威から民主主義を守らなければならないと主張した。[*1] 2020年大統領選の最中に執筆された論稿でも、トランプが「独裁者の言葉を真に受け、民主主義者を軽んじ（中略）世界各地の腐敗政治家に免罪符を与えてきた」と手厳しく批判している。[*2]

こうした認識に立ってバイデン外交は、民主主義や人権、自由などの価値の促進を目標に掲げ、権威主義国家に対して単にパワーの次元のみならず、イデオロギーの面でも優位に立つことを目指してきた。2022年2月にウクライナ侵攻が始まって以降、バイデンは「民主主義と権威主義との戦い」「自由と専制との戦い」というテーゼをいっそう強調するようになっている。

しかし、アメリカ国内のイデオロギー状況を考えれば、バイデン外交の世界観は単純化の誹りを免れえない。異性愛や家族といった伝統的価値を掲げて、性的マイノリティをあからさまに迫害するプーチンのマッチョイズムとその権威主義的な政治スタイルは、アメリカ右派の間に着実に共感の輪を広げてきた。特にプーチンを「強い指導者」と称賛するトランプが大統領となって以降、共和党支持者の間にも、プーチンへの好意的な意見が目立って増えてきた。[*3] 2017年には、共和党支持者の49%がロシアを同盟国あるいは友好国とみなし、32%がプーチンに好意的な意見を持っていた。[*4]

ヤフー・ニュースとユーガブがウクライナ侵攻直前、2022年1月20日から24日にかけて行った調査では、共和党支持者の62%がプーチンはバイデンより強いリーダーだと回答し、バイデンがプーチンより強いリーダーだと答えたのはわずか4%だった。[*5]

また、2021年1月の連邦議会議事堂襲撃事件が示したように、選挙制度への不信、政治的な目的のための暴力を容認する世論の傾向も顕著になっている。「民主主義の模範国」という広く流布したイメージとは裏腹に、アメリカは選挙に大きな問題を抱えた国である。ハーバード大学やシドニー大学が共同で行ってきた「選挙の公正さプロジェクト」の調査によると、アメリカの選挙の公正さは、西洋の民主主義国家の中では最低レベルだ。[*6] 昨今は、共和党が上下院の多数派を占める州を中心に、「不正投票の防止」という一見もっともな名目で、低所得者やマイノリティの投票を実質的に阻む法律が多数成立している。有権者ＩＤ法などで投票時における身元確認が厳格化されたことにより、運転免許証を持たない人や、定まった住居を持たない人の投票が困難にされてきた。[*7] なお、不正投票が広範囲に行われていることを裏付ける証拠は、これまでに出てきていない。

二大政党の一つ、共和党については、その権威主義化が加速していることが研究機関によって指摘されてきた。昨今の権威主義の世界的な台頭を背景に、世界の民主主義国の健全性を測定するために２０１４年スウェーデンのヨーテボリ大学内に創設された民主主義の多様性研究所（V-Dem Institute）で、２０２０年10月にこの種のものとして過去最大規模の調査が行われた。この調査は各国の政党がどれだけ非自由主義的な傾向を示しているかを、政治的な多元性を尊重しているか、反対勢力を悪魔視するような言動はないか、マイノリティの権利を尊重しているか、暴力の使用を肯定していないかなどの指標から測定するものだった。結果、アメリカの共和党は過去20年間で非自由主義的な性質を顕著に示すようになっており、ヨーロッパの中道右派政党よりも、トルコのレジェップ・タイイップ・エルドアン政権やハンガリーのオルバーン・ヴィクトル政権のような権威主義国家の与党に近いことが明らかになっている。特にトランプ政権下でその傾向は加速した。[*8]

内向きになる保守

アメリカにおける非寛容と分断の政治の広がりは、アメリカ社会や世論にさまざまに働きかけ、自国にとって有利な環境を作りだそうとする中ロの「シャープパワー」に対する脆弱性を生み出す原因にもなっている。にもかかわらず、今日の政治家たちからは、自国の民主主義や自由主義を回復させていくことが、権威主義国家に対するイデオロギー的な勝利のために必要不可欠であるという国際的な視野が、ますます失われている。

そのことを象徴する出来事が、ウクライナ侵攻当初にあった。2022年2月下旬、MAGA支持者も数多く登壇する保守主義者たちの大規模集会、保守政治行動会議（Conservative Political Action Conference、通称CPAC）がフロリダ州のオーランドで開催された（その会期中にロシアがウクライナに侵攻する事態となった）。「目覚めているが、覚醒はしていない（Awake Not Woke）」をスローガンに開催されたこの大会で、アメリカにとって最大の脅威とみなされて槍玉に上げられたのは、プーチンよりも、国内の「ウォーク」たちだった。

「ウォーク（woke、覚醒した状態）」とは、常に社会正義に対する意識を持って暮らす状態のことだ。もともとこの言葉は、黒人コミュニティにおいて黒人たちが受ける不当な差別や抑圧を、より大きな制度や構造の問題として理解し、乗り越えるために生まれたものである。昨今のアメリカでは、差別され、抑圧される側が不正義と戦うために生み出した言葉を、政治的な右派勢力がマイノリティへの差別や抑圧を批判する人々を嘲笑し貶める文脈で、言葉の本来の意味をまったく歪める形で使うようになっているのだ。

CPACで演説するトランプ

基調講演を行ったトランプは、「急進的な左派たちは、アメリカの民主主義をウォーク流の専制政治に置き換えようとしている」と糾弾した。[*9] トランプの元顧問であるスティーブ・バノンに至っては――バノンのスピーチは、ウクライナ侵攻の直前ではあったものの――プーチンを「反ウォーク」の闘士とみなして称賛した。[*10] ウクライナ戦争に言及する登壇者もいなくはなかったが、その言及はもっぱら、「バイデンが左派にそそのかされ、急進的な脱化石燃料の政策を進めたために、アメリカはロシアの石油に依存し、ロシアの侵攻を許した」と、バイデンや民主党を批判する文脈でなされたものだった。なお、去年1年間にアメリカが輸入した原油や石油製品のうちロシア産が占める割合は８％ほどにすぎず、これが事実や統計に基づいた主張とはとてもいえない。

ウクライナ危機はいくつかの講演やパネルディスカッションで取り上げられたものの、ＣＰＡＣ全体としては、圧倒的に国内問題が中心となった。それは、リベラルたちは自分たちが「差別的」とみなす発言を行った人物、特に権力者を糾弾し、役職や地位から追い落とす「キャンセルカルチャー」を行っているといった批判であったり、新型コロナ感染拡大の中でマスクやワクチンが義務づけられたことへの反発であったり、アメリカの政治社会には人種差別が構造的に埋め込まれてきたという「批判的人種理論」に基づく学校教育が行われることにより、白人の子どもに過剰な罪悪感が植えつけられ、子どもたちが国に誇りが持てなくなっているとして「批判的人種理論」の排斥を誓う主張であったりした。ますます内向きになる共和党の保守政治家の世界観において、民主主義への脅威は、国内で民主派を弾圧し、公然たる軍事侵攻に踏み切ったプーチンのロシアよりも、国内の「ウォーク」勢力なのである。

「文化闘士」ロン・デサンティスの台頭

ＣＰＡＣの盛況ぶりを見ていても、トランプ流の政治は、トランプという１人の政治家の政治生命を超えて、今後も継承されそうだ。２０２２年11月の中間選挙が終わってほどなく、トランプは２０２４年大統領選への出馬を宣言し、共和党支持者の間では最も人気がある候補としての地位を保っている。他候補者の顔ぶれを見ても、トランプ流の政治と決別している人物はいない。その代表格が、「スマートなトランプ」とも呼ばれ、先の中間選挙でも地滑り的な勝利でフロリダ州知事に再選されたロン・デサンティスだ。２０２３年５月、２０２４年大統領選への出馬を宣言した。

デサンティスは、40代という若さや華麗な経歴で一見、新風を呼び込む存在に見える。しかし、だからこそ危険だともいえるかもしれない。デサンティス人気をここまで盤石なものとしたのは、「文化闘士（culture warrior）」と呼ばれるほどの文化保守的な政策だ。マイノリティを公然と敵視する政策もまったく躊躇わないその態度は、「プーチンを模倣した」とすらささやかれるほどだ。フロリダ州では、２０１６年にオーランドのゲイ・ナイトクラブで、２０１８年にパークランドの高校で大きな銃乱射事件が起き、多くの人が犠牲になっている。にもかかわらず、デサンティスは「銃保持の自由」を掲げて銃規制に反対してきた。また気候変動対策にも否定的で、ビジネス界のＥＳＧ投資の動きについても、「経済活動の自由」を掲げて反対し、自分たちの価値観を強引に広げようとするリベラルたちの策謀と批判してきた。[*11]

２０２２年3月には、教育現場における性的指向や性自認に関する議論を厳しく制限する通称「ゲイと言ってはいけない」法案に署名した。このことを、同州のオーランドにテーマパークを構えるウォルト・ディズニー社が批判し、政治献金の停止を表明すると、デサンティスは報復として、テーマパーク一帯に認められてきたディズニーの自治権を剝奪。中絶問題についても２０２３年4月、妊娠6週以降の中絶を禁止する法案に署名し、成立させている。

移民問題についてもトランプ流だ。デサンティスは、かねてから若年移民の国外強制退去の延期措置（Deferred Action for Childhood Arrivals：ＤＡＣＡ）に反対するなど、中南米からの移民流入を厳しく制限するスタンスをとってきた。さらに中間選挙の投開票日が迫っていた２０２２年9月中旬、劇的なアクションをとった。中南米からの移民約50人を、チャーターした飛行機でマサチューセッツ州のマーサズ・ヴィニヤード島に移送したのである。マーサズ・ヴィニヤード島は高級避暑地で、民主党を支持するリベラルが多い。国境からはるか遠いところで「移民に対して寛容であれ」とリベラルな主張を説くならば、自分の隣人に迎えてみたらどうか、それでも移民に対する寛容を主張できるのか、と民主党を攻撃するパフォーマンスだった。こうしたパフォーマンスはデサンティスだけでなく、テキサス州のグレッグ・アボット知事などによっても行われた。アボットもトランプ流の政治によって保守派の支持を盤石なものとし、2024年大統領選の共和党候補として名前が挙がる人物だ。

デサンティスやアボットの人気は、被害者意識や不安をかきたて、相手政党やその支持者に対する憎悪や敵意を煽るトランプ流の政治が依然として有効であることを示している。トランプは去っても、トランプを権力の座に押し上げた人々の不安や恐怖、現状への不満や憎しみはなくなっていない。それを利用し、権力を得ようとする政治家も数多く存在する。

2017年にトランプが大統領になったとき、確かにその主張はアメリカで「忘れられてきた」と疎外感を感じている人の心を捉えるものがあった。「アメリカに雇用を取り戻す」というトランプの訴えは、産業構造が転換する中で衰退し、「錆(さ)びついた工業地帯」(ラストベルト)となった中西部の労働者たちの心を捉えた。

しかし、トランプが2020年大統領選の敗北を認めず、「選挙で不正が行われた」「選挙が盗まれた」という主張を掲げるようになるに至って、「トランプ主義」は民主主義を否定する要素を含むようになり、支持者の質も変わってきた。

2023年6月現在、2024年大統領選への出馬を表明した共和党の候補者たちの中でも、トランプは圧倒的な支持を集め、2位のデサンティスを大きく引き離している。トランプがこのままリードを守り抜こうと、デサンティスが追い上げようと、共和党はますます国内の左派との「文化闘争」路線を突き進んでいく可能性が高そうだ。責任ある二大政党の一つである共和党がより穏健な、かつての姿を取り戻すことは、支持政党を超えて多くの国民が望んでいることであり、また安定した民主主義国たるアメリカのリーダーシップを必要とする世界が望むことでもある。共和党の行方に注目したい。

また、世界で自由や民主主義をどう守るかといった国際的な視座に欠け、政治家としての自身の役割をもっぱら国内の左派との闘争に見いだすデサンティスのような、本質的に内向きな保守政治家の台頭は、ウクライナ支援にも影を落とす可能性がある。長らくウクライナ侵攻について表立っては発言してこなかったデサンティスだが、侵攻から1年を経過すると、ウクライナでの戦争はアメリカの重要な国益ではないと公然と掲げ、巨額のウクライナ支援に疑義を呈するようになった。デサンティスは言う。アメリカには国境警備や中国への対応といった重要な国益がある、ウクライナとロシアの領土紛争に巻き込まれることは重要な国益ではない、と。ウクライナでの戦争を、ロシアとウクライナの領土紛争と位置づけるデサンティスの認識は、この戦いを国際秩序や民主主義を守る戦いと位置づけ、国民の関心と支援を促してきたバイデン政権の認識とは根本的に異なる。

もっともデサンティスの発言が報道されると、次期大統領選への出馬を表明しているマイク・ペンス前副大統領やニッキー・ヘイリー元国連大使など、共和党の有力政治家からすぐさま異論があがった。共和党内でも「国益」を広く定義し、国際秩序の盟主であり続けるべきだと考える勢力は、以前に比べれば格段に弱くなりながらも命脈を保っている。今後もこの二つの「国益」観のせめぎ合いは、共和党、さらにはアメリカ政治外交全般に影響を与えていくだろう。

アメリカ右派とプーチンの思想的共鳴

２０２２年11月に行われた中間選挙で、共和党は下院の多数派を奪還した。２０２４年選挙でも、「アメリカ第一」を掲げてウクライナ支援に反対する政治勢力が台頭していく可能性は否定できない。それどころか、プーチンの価値観に積極的に同調していく勢力が現れる可能性すらある。

思想的背景を見れば、共和党を支持する右派たちとプーチンとの間には重大な価値の共有が存在する。反リベラリズムだ。プーチンは長年、欧米社会では移民や難民の受け入れや性的マイノリティの権利をめぐって分断が起きているとして、「欧米流のリベラリズムは時代後れになった」と公言してきた。[*12] ２０１５年、ドイツのアンゲラ・メルケル首相は、北アフリカや中東からＥＵ（欧州連合）を目指して多くの難民が押し寄せる中で、１００万人以上の難民に国境を開放する決断をしたが、以降、移民や難民の排斥の動きが強まり、排外主義的な極右政党「ドイツのための選択肢（ＡｆＤ）」の躍進へとつながっていった。アメリカでも、メキシコからの移民流入を止めるための「壁」建設というトランプの選挙公約は、大衆に忌避感を生み出すどころか、大統領選の泡沫（ほうまつ）候補だったトランプを有力候補に押し上げる原動力の一つになった。プーチンはこれらの欧米での政治変動を、多様性やマイノリティの権利よりも伝統を重視するロシアの政治体制の正当性を証明するものとみなしてきた。

さらにプーチン政権が進めてきた反ＬＧＢＴＱ政策も、アメリカ右派の羨望の的になってきた。ソ連崩壊後、ロシアでは限定的ながら同性愛者の権利保護が進められてきたが、21世紀に入ると、同性愛に否定的なロシア正教の影響が強まったことも背景に、まずは市や州レベルで、同性愛者だと公にした者を罰する条例が制定された。そして2013年には連邦レベルで、子どもたちを「非伝統的な性的関係」に関する情報から守るという大義のもと、同性愛に関する宣伝を禁止する、いわゆる「ゲイ・プロパガンダ禁止法」が制定された。2020年に改正された憲法には、結婚は「男女の結びつき」であると明記された。こうしたロシアの法的状況は、欧州人権裁判所によって、欧州人権条約に違反するとの判断が下されている。性的マイノリティへの弾圧は、ウクライナ侵攻後、ますます強化されている。2022年12月にはゲイ・プロパガンダ禁止法の規制を拡大する内容の法律が成立。広告や書籍、映画、オンラインなどで同性愛について発信することが広範に違法とされ、違反者には重い罰金が科せられることになった。

欧米諸国の右派が抱くリベラルな価値や政策への不満に巧妙に働きかけ、社会の分断を狙うプーチンの思惑通り、民主党政権のもとでジェンダーの多様性が進みすぎている、移民や難民に寛容になりすぎていると不満を募らせるアメリカ右派たちはプーチンに対し、共感や親愛の情を抱いてきた。プーチンの彼らへの訴えかけはウクライナ侵攻中にも続けられてきた。２０２２年9月30日、プーチンはウクライナ東・南部の４つの州を併合すると一方的に発表した。そのときの演説では、併合の正当化とともに、次のような主張が掲げられた。

私たちの国ロシアで、母親と父親の代わりに「親1号、親2号、親3号」を持ちたいのか。学校に通い始めたばかりの子どもたちに（中略）性別は女性と男性の2種類ではなく、別の性別が存在するという考えを頭に叩き込み、性転換手術を受けさせたいのか。（中略）これは私たちにとって受け入れがたいことだ。私たちには、私たち自身の異なる未来がある（後略）[*13]。

さらに翌年2月21日に発表された年次教書にも、ウクライナ侵攻の正当化や米ロ間に残された唯一の核軍備管理条約であった新ＳＴＡＲＴ（新戦略兵器削減条約）への参加停止などとともに、次のような主張が盛り込まれた。

欧米諸国で国民に何が起こっているか、注視せよ。彼らは家族を破壊し、文化的・国家的アイデンティティを破壊し、そこでは児童を虐待する性的倒錯や小児性愛までもが「普通」と位置づけられている。聖職者は同性婚を祝福することを強いられている。（中略）聖書や他の世界宗教の教典を見よ。家族とは男女の結びつきを意味することを含め、すべてが書かれている。しかし、（欧米諸国で）これらの教典は今、疑問視されている。イギリス国教会は、性別による区別のない神（gender-neutral god）という概念を探究することを計画していると伝えられている。（中略）私たちは子どもたちを守らなければならない。私たちは、子どもたちを劣化や退化から守るのだ。[*14]

確かにウクライナへの公然たる軍事侵攻以降、プーチンへの表立った共感は、アメリカ右派の間でも聞かれなくなった。しかし、異性愛や家族といった伝統的な価値が社会で否定され、代わってリベラルな価値観がますます支配的になることへの危機感は、右派に広く共有されている。戦争が長期化する中で、彼らの潜在的なプーチンへの共感が、ロシアによる不当な軍事侵攻に対する義憤や、命や領土を奪われたウクライナへの同情を上回らないとは保証されていない。

もっとも、内向きになっているのは右派だけではない。国内に山積する問題への懸念から、アメリカのウクライナ支援が膨大な額にのぼり、戦争が長期化していることに不安と不満を募らせる勢力は民主党左派にも存在する。2022年中間選挙が迫っていた10月24日、下院民主党の進歩派議員連盟（Congressional Progressive Caucus）の議員有志がバイデンに宛てた書簡が公になった。議長のプラミラ・ジャヤパル議員を発起人とする書簡は6月に作成され、30名が署名していたが、中間選挙直前まで伏せられていた。書簡は、ロシアの軍事侵攻を批判し、バイデン政権によるウクライナ支援への支持を表明しつつも、いっそうの強調点を、戦争の長期化や拡大、そのことによるエネルギー危機や食糧危機の悪化と長期化への懸念に置いていた。そして書簡は、「何百億ドルという税金を使った軍事支援の責任を負う議員として」、バイデンに対し、ロシアとの直接交渉による早期停戦の模索を訴えたのだった。[*15]

書簡は党内から激しい反対を受け、公開してほどなく取り下げられた。しかし、戦争長期化への懸念や生活不安が有権者に着実に広まっていることは世論調査なども示すところである。国民の不安に応えようとする民主党の進歩派議員が今後どのような主張や行動を見せるかは、アメリカのウクライナ政策を占ううえでも注目していく必要がある。

「キャンセルカルチャー」批判を繰り返すプーチン

プーチンはアメリカ社会を観察し、分断の種を常に探している。アメリカ右派が自分に寄せる共感にも自覚的だ。そのことがよく窺えるのが、繰り返されてきた「キャンセルカルチャー」への言及だ。

「キャンセルカルチャー」という言葉がここまで頻繁に、そして政治的な文脈で使われるようになったのは比較的最近のことだ。人種やジェンダーの平等を求める動きの高まりとともに、「差別的」「不適切」とみなされる言動を企業や公人、著名人が行った際には、SNSを中心に批判が高まり、製品の不買運動や人物の起用取り消しを求める運動が起こってきた。特に欧米先進国で、こうした動きはますます活発になっている。

このような言論状況の変化を好ましく思わない側は、運動を不当な「キャンセルカルチャー」と呼んで、その正当性を奪おうとしてきた。その代表的な人物にトランプ前大統領がいる。トランプは自身の言動を「差別的」と糾弾するリベラルへの敵意を込めて「キャンセルカルチャーは、左派の政治的な道具だ」「キャンセルカルチャーは左派的な価値観に反対する者を辱め、服従を要求する全体主義である」[*16]といった主張を繰り返し、「キャンセルカルチャー」を言論封殺の動きとして批判してきた。もっとも、トランプ自身、権力に物を言わせて異論を何度も封殺してきた過去があり、自身もその「カルチャー」に染まってきた人物でもある。

プーチンは、「キャンセルカルチャー」という言葉に込められたアメリカ右派たちの不満をよく把握し、利用しようとしてきた。プーチンは言う。差別反対を掲げるリベラルが常に「不適切」な言動に目を光らせ、人種やジェンダーをめぐる「差別的」な言動が厳しく取り締まられる欧米社会よりも、ロシアの方がよほど「自由」ではないか、と。こうした主張は、ロシアのウクライナ侵攻への対抗措置として、欧米諸国を中心にロシアへの制裁の動きが活発化すると、さらに熱を帯びていった。2022年10月、モスクワで開催されたバルダイ・クラブ討論会で、プーチンはウクライナ情勢や、世界のエネルギー・食糧市場の不安定化について欧米諸国をひと通り非難した後、欧米の「キャンセルカルチャー」を槍玉にあげた。

その昔、ナチスは焚書までやった。いまや西側諸国のリベラリズムと進歩の擁護者は、ドストエフスキーとチャイコフスキーを禁止するようになった。（中略）いわゆるキャンセルカルチャーは、生き生きとして創造的なものすべてを根絶やしにする。経済・

政治・文化などあらゆる分野で自由な思想を阻害している。（中略）リベラルなイデオロギーそのものが、今日、もはや認識も不可能なほどに変容してしまった。[*17]

プーチンの世界観において欧米のリベラルは、国内で異論を封殺し、排除するだけでは飽き足らず、いまやロシアを「キャンセル」しようとしている。欧米のリベラルは、ロシアの言い分に耳を傾けようとする人を一様に「クレムリンの陰謀」を鵜呑みにする人だと攻撃する。ゆえに欧米社会にあって人々は、たとえロシアの言い分を理解できると感じていても、リベラルたちに「キャンセル」の対象とされる恐れから、ロシア支持を表に出せない。リベラルたちの言論統制によって、欧米社会からは言論の自由が奪われつつある――。プーチンはこうした論理で、欧米社会に分裂や対立を生み出そうとしている。ウクライナ侵攻に対しては、欧米諸国のみならず世界の圧倒的多数の国々が「ノー」を突きつけている事実を直視することからも逃れ続けている。

「キャンセルカルチャー」批判の文脈でプーチンがよく言及してきた事例が、世界中で大ヒットした「ハリー・ポッター」シリーズの作者J・K・ローリングの「キャンセル」騒動だ。きっかけとなったのは、２０２０年６月、ローリングがツイッターに投稿した一つのポストだった。ＬＧＢＴＱ理解の深まりを背景に、昨今使われるようになった言葉の一つに、「月経がある人（people who menstruate）」という言葉がある。ヘテロ・セクシュアルの女性以外にも、トランスジェンダー（生まれつきの身体的な性別とは異なる性を自認する人）やノンバイナリー（性自認や性的指向が男性・女性どちらの性別にも明確に当てはまらない人）で月経がある人がいることに配慮した言葉だ。この言葉をローリングが茶化すようなツイートをしたことが非難の的となった（２０２０年6月7日Twitter）。ローリング原作の映画「ハリー・ポッター」に出演した俳優のダニエル・ラドクリフやエマ・ワトソン、「ファンタスティック・ビースト」のエディ・レッドメインなどもローリングの発言を批判したことで、論争はさらに広がった。ローリング自身は発言の意図について、「私はトランスジェンダーの人たちを知っているし、愛している」「けれど、性別という概念を消してしまえば、多くの人々が自身の人生について有意義な議論をする力を奪われることになってしまう。真実を話すことはヘイト（憎悪）ではない」と説明している（２０２０年6月7日Twitter）。

プーチンの目には、「トランスジェンダー差別」と世界的な批判を浴びるローリングと自分が重なって見えたようだ。ウクライナ侵攻を受けて国連総会が緊急特別会合を開催し、ロシアに対して即時、完全かつ無条件の撤退を求める決議案が１４１カ国の圧倒的多数で採択されてからおよそ1カ月後、プーチンは文化勲章授与式で長い演説を行い、「J・K・ローリング氏は最近キャンセルされた。いわゆるジェンダー・フリーを支持する人たちの不評を買ったためだ」とローリングの話を持ち出した。[*18] もっとも、このプーチン発言を受けてローリングはすかさずツイッターで「抵抗したかどで民間人を虐殺し、批判者を投獄し、毒殺している人間」に、西側諸国のキャンセルカルチャーを批判する資格はないと反論している（2022年3月25日Twitter）。この投稿には、「私はウクライナを支持する（#IStandWithUkraine）」というハッシュタグ、服役中のロシアの反体制派指導者アレクセイ・ナワリヌイに関するニュースのポストもついていた。当然の反応だろう。

もっとも、国家による言論統制が強まるロシアに比べれば、欧米社会には言論の自由があるといえても、まったくそれが損なわれていないかと問われれば、そうとも明言できない。昨今ますますアメリカ市民の間に、言論の「自己検閲」が広がっている。6割を超える人々が「自分の政治的見解を他人と率直に共有することに恐れを感じる」と回答した世論調査の結果もある。[*19] 教育の普及や度重なる著名人の「キャンセル」騒動を経て、今日ますます多くの人々が、マイノリティやジェンダーの問題に関してどのような言動をとることが「適切」かを理解するようになっている。人々は自身の心の中に、社会的には「不適切」とされる考えが存在していたとしても、あえてそれを表明することはしない。不用意に心のうちを晒せば、「キャンセル」される危険をおかすだけだからだ。

こうした市民の「自己検閲」の広がりによって、表面的には差別的な発言はなくなるかもしれない。しかし、それは本当に差別がない社会といえるだろうか。人々は差別がなぜいけないのか、平等な社会はなぜ望ましいのかを理解したわけでなくとも、「キャンセル」されることを恐れて「不適切」な言動は避ける。こうした状況のもとでは、差別は形を変え、より見えにくい、陰湿な形で続けられるだけではないか。「キャンセルカルチャー」が差別をなくし、平等を実現するために生まれたのであれば、その目的を実現するために、「キャンセルカルチャー」を超える知恵と運動を発展させていく必要がある。

「キャンセル」を超えて

プーチンとは異なる文脈で「キャンセルカルチャー」を批判したのがオバマだった。2019年10月、オバマは自身が設立した財団のイベントに登壇し、今の若者たちが、著名人の差別的な言動を見つけては、ネットを通じてその人物を仕事や広告などで起用しないよう「キャンセル」を呼びかける傾向にあることを次のように批判した。

世界には（中略）いくつもの両義性が存在する。真によい行いをしている人にも欠点はある。（中略）最近は特定の若者が（中略）ソーシャルメディアを通じてますます過激になっている。（中略）私はできるだけ他人を非難して、相手にいい加減にしろと言い放って、世の中を変える。（中略）世の中のためによいことをした私は気分がよくなって、あとは傍観者を決め込む。（中略）こんなものはアクティビズムではない。こんなやり方で世の中を変えることなどできない。そうやって気に入らないものに石を投げつけているだけなら成功にはほど遠い。[*20]

20年も続いた「テロとの戦い」の結果、戦争に正義はない、アメリカは国外よりも国内に山ほどやることがあると悟ったZ世代だが、では、プーチンのような無法者が不正な侵略戦争を続ける現状にはどう応えるのか。いまやプーチンへの対応を誤ったと批判されるオバマだが、しかしそのオバマが言うように、SNSでいかにクールにプーチンやロシアを批判したところで、それだけでその残虐な行いを止められるわけではない。アメリカのZ世代にも、そして私たちにも、行動が求められている。

第三章　米中対立はどう乗り越えられるか

——Z世代の現実主義

分断される世界――民主主義サミットが示した問題

２０２２年、アメリカ、さらには世界の関心を集めたのは、ウクライナで侵攻を続けるロシアだった。しかし、そうした中でもアメリカは、長期的には中国こそが最大の脅威であることを見失っていない。２０２２年10月、バイデン政権が発表した国家安全保障戦略は、ウクライナへ侵攻したロシアを「差し迫った脅威」とみなし、今後10年の取り組みが「決定的な重要性を持つ」とする一方で、中国を「国際秩序の再構築を目指す意志と力を持つ唯一の競争相手」と位置づけ、中国への対抗を最優先事項とした。

大統領就任以来、バイデンは前トランプ政権との差異化を意識して、民主主義と人権を基軸とする外交を掲げ、民主主義や人権を蹂躙（じゅうりん）する権威主義国家への対抗姿勢を強めてきたが、そこでまず念頭に置かれてきたのも中国だった。その端的な表れが、２０２１年12月、権威主義国家に対する民主主義国家同士の結束を強固にすることを目的に、１１０の国・地域の代表を招いてオンラインで開催された民主主義サミットだった。

もっとも、同サミットの成果は甚だ不十分なものに終わり、むしろアメリカの「民主主義」に関する混乱した理解を内外に示す結果となってしまった。まず、招待国の基準が不明確であった。招聘（しょうへい）国にはアンゴラやコンゴ民主共和国、イラクなど、民主主義国家とは到底いえない国家が含まれていた。ホワイトハウスは、「招待されたからといって、その国の民主主義への取り組みをアメリカが認めたわけでもなく、除外したからといって、非民主主義国家の烙印を押すわけでもない」と釈明したが、そうした趣旨であれば、NATO加盟国だが権威主義に傾倒しているハンガリーやトルコのような国こそ招聘し、再び民主主義陣営へと引き寄せる一助とすべきだったという声もあがった。

さらに、東南アジア11カ国で招聘されたのは、インドネシア、マレーシア、フィリピン、東ティモールのみだったことも問題だった。アメリカは民主主義サミットへ招待する国、しない国をつくることで、東南アジア諸国との間に亀裂を生み出してしまった。ミャンマーで国軍による大規模な人権弾圧が長期化する中で、東南アジアにおけるアメリカの人権外交の課題は、民主主義や人権といった価値観の共有を自明視できない国々と、いかに人権のために協働できるかにあったはずだ。ASEANは設立以来、内政不干渉を原則としてきたが、ASEAN憲章には民主主義や人権の尊重も書き込まれている。アメリカは、ASEAN憲章の文言に訴える形で、幅広くASEAN諸国をサミットに招待し、ミャンマーの人道危機に対する共同戦線の布石にすることもできたのではないだろうか。

アメリカとは対照的に、中国はイデオロギーや政治体制を理由に選り好みしない包括的なアプローチをとってきた。サミットに先立って開催されたＡＳＥＡＮ中国特別首脳会議で、中国とＡＳＥＡＮの関係は「戦略的パートナーシップ」から「包括的戦略パートナーシップ」に格上げされている。

アメリカのラテンアメリカ外交も、行き詰まっている。民主主義サミットに招聘されなかったニカラグアは、民主主義サミットの開催初日にあわせて台湾と断交し、中国と国交を結んだことを発表した。同国のダニエル・オルテガ大統領は大統領選で有力対抗馬の立候補を阻止するなど独裁色を強めており、これをバイデンは痛烈に批判していた。

こうした関係の亀裂を、中国は見逃さない。民主主義サミットに先立ち、中国－中南米カリブ諸国共同体（ＣＥＬＡＣ）閣僚会議が開催された。ＣＥＬＡＣはアメリカとカナダを除く米州33カ国が参加している組織で、会議には、中国とラテンアメリカ諸国のさらなる協調をうたう習近平国家主席のビデオメッセージが寄せられた。ラテンアメリカ諸国は、中国との関係強化を梃子(てこ)に、アメリカからの相対的な自立を実現し、米中双方から利益を引き出そうとする「積極的非同盟（Active Non-Alignment）」の姿勢をますます強めている。

２０２３年３月には、ホンジュラスに成立した親中的なシオマラ・カストロ政権が、中国との国交樹立に向けて台湾との断交を発表した。アメリカの「裏庭」と呼ばれるほどその影響力が強かったラテンアメリカ諸国で、中国の影響が静かに、着実に広がっている。

民主主義の退潮、権威主義の台頭は今、世界的な趨勢(すうせい)となっている。２０１９年、スウェーデンの研究機関V-Demは、民主主義国家・地域が87カ国であるのに対し、非民主主義国家は92カ国となり、18年ぶりに非民主主義国家が多数派になったと報告した。その後、新型コロナ危機の中で、権威主義国家はますます国民への締めつけを強めている。数における民主主義国家の劣勢は、国連での表決における劣勢へと結びつく。国連の人権理事会は２０２０年６月、民主化運動の弾圧を目的とする中国の香港国家安全維持法を取り上げたが、中国を批判した国々は日本を含む27カ国だったのに対し、中国を支持した国家はその約2倍の50カ国にのぼった。その多くが権威主義国家や独裁国家で、国内に中国と同様、人権問題を抱える国も多い。中国の一帯一路政策の恩恵に浴している国も多数である。

アメリカはもはや民主主義のお手本ではない？

民主主義サミットから排除された中国は、世界各地で活発な外交攻勢を仕掛けるとともに、アメリカの民主主義の揺らぎを喧伝(けんでん)し、アメリカは民主主義サミットの提唱者たる資格などないと攻撃してきた。中国国営ＣＣＴＶの国際放送部門（ＣＧＴＶ）が作成した「アメリカの民主主義――リアリティ・チェック」と題された動画は、蔓延する銃暴力や人種差別、極端な経済格差、世界最悪を記録した新型コロナウイルスの感染死者数などを列挙しながら、「アメリカの民主主義の現状は、決して世界に対して誇れるものではない」と強調している。

このようなアメリカ批判は、中国の反米プロパガンダと一蹴できるものではない。世界は必ずしも、アメリカを民主主義の模範とは見ていない。2021年春にピュー・リサーチ・センターがカナダ、イタリア、ギリシャ、スペイン、イギリス、オランダ、ベルギー、スウェーデン、ドイツ、台湾、韓国、日本、シンガポール、オーストラリア、ニュージーランドを対象に行った調査で、各国・地域の平均で57％が「かつてアメリカ式民主主義はよいお手本だったが、近年はそうでもない」と回答した。「現在もまだ民主主義のお手本である」と回答した17％を大きく上回った。[*1] また2021年11月、ストックホルムに本部を置く民主主義・選挙支援国際研究所（IDEA）が発表した報告書「民主主義の世界的状況」2021年版で、アメリカは初めて「民主主義が後退している国」に分類された。[*2]

その大きな理由は、2020年大統領選に敗北したトランプが、「選挙で不正が行われた」として、選挙結果に疑義を呈したことであった。さらに報告書は、多くの州で進む投票弾圧の動きにも懸念を表明している。昨今アメリカでは、共和党員が知事であったり共和党議員が州議会の多数派を握っている州を中心に、投票の際に身分証明書の提示を義務づけるなど、投票のハードルをあげる州法を制定する動きが加速している。「不正選挙の防止」を名目とするこれらの州法によって、最も投票が困難にさせられるのは、仕事や住所の都合でそもそも投票へ行くことに困難を抱えたマイノリティや貧困層だ。

権威主義化の危険は、中国やロシアなど外からやってくるものばかりではなく、アメリカの内にも存在する。バイデンには内なる民主主義の危機とその処方せんが見えているだろうか。また今後、アメリカが中国やロシアに対抗しようとすれば、民主主義的とはいえない国家の協力が必要なこともある。こうした国にアメリカはどのようにアプローチするのか。第1回目の民主主義サミットは、多くの疑問を残すことになった。

選挙がむしろ民主主義を動揺させる?

この数年間、他ならぬアメリカで民主主義の価値が深刻に揺らいでいる。ピュー・リサーチ・センターが2021年7月に行った調査によれば、民主党支持者の78%が「投票は『基本的な権利』であり、制限されるべきではない」と考えているのに対し、共和党支持者は67%が「投票は『特権』であり、制限可能」と答えている。[*3] 仕事の都合や交通手段の問題で、投票所に行くことに困難を抱える貧困層やマイノリティは民主党を支持する傾向にあり、民主党はより投票しやすくなる仕組みを整えることに動機を持つ。これに対して、共和党は投票を困難にすることに動機を持つ。現在のアメリカ社会は、投票権という民主主義の根幹に関わる問題に、党派対立がほぼそのまま反映されてしまう状況になっているのである。

必然的に、アメリカの民主主義を建て直していくためにどのような政策が必要なのかについても、両党は激しく対立してきた。投票のハードルを上げる州法制定の動きを主導する共和党議員や知事は「不正の防止」を理由に挙げるが、反対する民主党議員は貧困層やマイノリティの投票を実質的に抑圧しようとするものだと反発を強めている。

バイデン大統領は投票制限の動きを「民主主義への攻撃」と批判し、民主党議員が多数派を占める連邦議会下院では期日前投票の拡大などを盛り込んだ投票権法が可決された。しかし、民主党と共和党が同数の上院（2022年1月当時）では、共和党だけでなく民主党の中道派からも「党派色の強い法案はさらに民主主義を弱める」（ウエストバージニア州選出のジョー・マンチン）といった反対が出るなど、民主党内ですら意見が分裂しており、成立の目処は立っていない。ますます多くの市民が、アメリカでは民主主義がうまく機能していないと考えているが、その危機はどこからきて、どう克服できるのかという次元になると、深刻な党派対立が生じ、民主主義の修復に向けた団結を阻んでいる。

選挙を通じて政治に民意を反映する政治システムは、世界に対するアメリカの魅力やソフトパワーの貴重な源泉となってきた。しかし、2021年1月の議事堂襲撃事件が表したように、党派対立が極限まで進行した結果、4年に一度の大統領選挙は、アメリカ政治を安定化させるどころかむしろ不安定化させ、対外的にアメリカの脆さや弱さを示すものとなってしまっている。

ピュー・リサーチ・センターが2020年大統領選の1カ月前に行った調査では、共和党候補のトランプと民主党候補のバイデンの支持者ともに、9割の回答者が、「自分が支持していない政党の候補者が勝利して大統領になった場合には、国に永続的な損害がもたらされる」と回答した。さらにおよそ8割の回答者が、自分と相手陣営の支持者との違いは「アメリカの中核的な価値観」をめぐる根本的なものだとしている。現在アメリカは分裂しているかどうかという問いに対しては、調査対象となった13カ国の中央値47%をはるかに上回る77%の回答者が、「そう思う」と回答した。*4 こうした厳しい党派対立の現状にあって、4年に一度の大統領選は、アメリカの民主主義に活力と魅力を与えるどころか、政治的な分断をますます深めるものになっているのである。

さらには、自分にとって望ましくない選挙結果を暴力で覆すことを容認する傾向も顕著になっている。民主主義の研究で知られる政治学者ラリー・ダイアモンドらの研究グループが、大統領選が近づいて緊張が高まっていた2020年9月に行った調査では、共和党支持者の44%、民主党支持者の41%が、ライバル陣営の候補者が選挙に勝った場合、暴力を正当化する理由が「少しは」あると回答した。[*5] 党派対立が激化したアメリカでは、選挙を通じた平和的な権力移行という民主主義の根幹が危うくなっている。

アメリカは対外的には民主化デモへの弾圧を強める中国を批判してきたが、その国内では平和的な抗議活動の重要性に関するコンセンサスが揺らいでいる。ピュー・リサーチ・センターが2020年7月から8月にかけて行った調査によると、人々が自由かつ平和的に抗議活動を行うことができることは「非常に重要である」と答えた人の割合は68%で、2年前の74%から減少。特に共和党支持者の低下が著しく、2年前の64%から53%へと、10%近くも減少した。

さらに自国の人権状況に対する疑義も深まっている。85%の回答者が、すべての人の権利と自由が尊重されることは「非常に重要である」と答えたが、現在のアメリカでそのような状態が「非常によく」あるいは「ある程度」実現されていると答えた人は41％で、半数に満たなかった。[*6]

「能力」が正当化してきた経済格差

アメリカの民主主義を機能不全に追いやっているのは、政治的な対立だけではない。連邦議会予算局の２０２２年のレポートによると、アメリカでは上位10％の世帯が国の富の72％を保有し、下位50％の世帯は国全体の富の２％しか持たない。[*7] 富者が生きるアメリカと、貧者が生きるアメリカは、もはや別の国という他ないほど異なっている。

格差は広がるだけでなく、ますます固定化してきている。富裕層のほとんどは結婚する際、同レベルの学歴や社会的地位、年収を実現した者同士の「同類婚」を選択するため、配偶者の分も富がさらに蓄積される。エリート・カップルは、その地位や資産を次世代へも継承しようと子どもの教育に多額の投資を行う。また富裕層は政治的な権力の獲得にも余念がない。シンクタンクや大学、メディア、選挙の候補者などへの資金援助を通じて政治的な影響力を獲得し、自分たちにとって有利な相続ルールを形成し、蓄積した富を次世代に容易に移転できるようにする。このような仕組みを通じ、アメリカでは数十年にわたって支配的なエリート階級が再生産され続けてきた。[*8] 貧しい家庭に生まれても、本人の才能と努力次第で成功を収め、親世代より豊かになれる——そうした「アメリカンドリーム」は、もはや「ドリーム」としても存在していない。アメリカの歴史上初めて、子を持つ親の7割超が「子どもたちの将来の生活水準は自分たち以下になる」と考えている。[*9]

しかし今まで、このような絶望的なまでの富の格差は、是正の対象とされるより、個人の「能力」の差異として正当化される傾向にあった。このような正当化の欺瞞を暴き出したのが、哲学者マイケル・サンデルの『実力も運のうち——能力主義は正義か?』(原書2020年)だ。サンデルはアメリカの学歴社会の欺瞞を次のように暴き出す。

アメリカでは、どれだけよい学歴を持っているかが、尊敬され、給与が高い仕事に就き、社会的な成功を収めるための決定的な条件となっている。大卒でない人は低賃金の労働に従事し、社会で蔑まれ、しかもそのような運命も「自己責任」として納得させられる。しかし学歴エリートが自分の「実力」で摑み取ったと思っているもののほとんどは、自らが裕福な家庭に生まれたという「運」に由来している。

今日のアメリカでは、裕福な家庭の子どもには進学や就職における多様な選択肢が開かれている一方で、貧しい家庭に生まれた子どものほとんどはその環境から抜け出せず、親の年収も超えられない。現在のアメリカ社会を特徴づけている極端な経済格差は「実力」ではなく、多分に「運」によって形成されてきたものである。にもかかわらず、富裕層は自らが所持する莫大な富を、あたかも公平な競争の結果、自分の「実力」で勝ち取ってきたものであるかのように思い込み、正当化してきたため、アメリカ社会では道義的に許容されてはならないレベルの経済格差が放置されることになった――そうサンデルは見る。

サンデルの著作は、単なる学歴社会や格差批判を超え、民主主義の本来あるべき姿に関する重要な問いかけを含んでいる。サンデルが見るところ、「運」で得た富を「実力」で得たと勘違いした傲慢なエリートが経済、社会、さらには政治的な権力に至るまで、あらゆる権力を握り、大卒でない人々が政治や社会で周縁化されてきたことで、アメリカの民主主義は多様性を失い、活力を失ってきた。アメリカの議会は、1960年代初頭には選出された議員の約4分の1が大学の学位を持たない人々だったが、2000年代になると上下両院ともに9割以上が大卒者となった。こうした状況を、学歴を持ち、「実力」があるとされている人々の「専制」状態と呼ぶサンデルの主張は、決して誇張とはいえない。

極限まで肥大化した経済格差を具体的に是正し、そのことを通じてより多様な声を反映した民主政治を取り戻していかない限り、アメリカの政治社会の深い断絶は埋まることはないだろう。そしてまた、国内に極端な格差を抱えたまま、対外的にアメリカの政治体制の素晴らしさや社会の魅力をいくら訴えても、空虚なものにしかならない。バイデンは大統領就任以来、富裕層や法人への課税の強化、世界共通最低税率の導入などを提案してきた。しかし、これらの政策には反対や懐疑の声も大きい。政治主導でどこまで格差を是正していけるかは未知数だ。

世界で揺らぎつつある民主主義への信頼を回復し、民主主義国家の数的な劣勢を挽回するために、アメリカがとるべき行動とは何か。民主主義の素晴らしさを外に向かって喧伝したり、民主主義サミットによって民主主義国の結束をアピールしたり、「非民主主義国」を断罪することよりも実質的な課題があるはずだ。むしろこうした外交は、自分たちの民主主義がいかに危機的な状況にあるかを見失わせてきた。世界を「民主主義と権威主義体制の競争」と捉えてしまうことで、アメリカが世界を見る眼は硬直化し、イデオロギーや政治体制の違いを超えて諸国家が取り結ぶ多様な関係性も見えなくなってきた。

アメリカが世界で揺らぎつつある民主主義への信頼を回復し、中国との体制間競争に勝利し、民主主義を守り抜こうとするならば、民主主義の素晴らしさを喧伝するよりも、自国の政治経済や社会が抱えたさまざまな矛盾に謙虚に向き合い、その解決を地道に図っていくことこそがまず重要ではないだろうか。

対中感情の歴史的悪化

現在、アメリカの対中感情は歴史的な悪化を見せている。ピュー・リサーチ・センターが2023年3月末に行った世論調査によると、アメリカの成人の8割以上が、中国に対して否定的な見方をしている。「非常に好ましくない」と回答した割合は44%となり、昨年から4ポイント上昇した。4割の人が「中国はアメリカにとって競争相手やパートナーではなく、敵である」と回答し、昨年から13ポイントの上昇を見せている。[*10]

中国への感情を悪化させている要因の一つは、台湾問題だ。防衛担当者や安全保障関係のシンクタンクからは、数年以内に中国による台湾侵攻があり得るといった発言や報告が相次いでいる。上述の世論調査でも、47%の人が台湾問題を「非常に深刻な問題」と回答し、2年前の回答から19ポイントも増加した。

また、ウクライナ戦争において、中国が「中立」をうたいながら、実質的にロシアに接近していることも、アメリカ国民の対中感情を悪化させている。特に2022年2月、習近平がモスクワに訪問しプーチンと会談した後、中ロ接近への警戒感は高まり、世論調査では6割を超える回答者が中ロ接近を「アメリカにとって非常に深刻な問題」とみなした。国際紛争の解決に向けて米中は協力できないと回答する人は半数以上（54％）にのぼっている。

Z世代のTikTokブームは「地政学的リスク」か？

地政学リスクを専門に扱う米コンサルティング会社のユーラシアグループが毎年発表する「世界10大リスク」の最新版が2023年1月に発表された。そこで9位に挙げられたのが、Z世代の「TikTok（ティックトック）ブーム」だった。TikTokとは中国企業のバイトダンス（字節跳動）が運営する動画共有アプリで、2022年にアメリカで最もダウンロードされたアプリとなった。アメリカだけで、これまでに2億1000万回以上のダウンロードがあったとされ、ユーザーのおよそ3分の2をZ世代が占めているとみられる。中国企業でありながらTikTokは、米メタ社のInstagramよりもZ世代で人気のアプリとなっており、その使用時間はいまやメタ社のFacebookとInstagramの合計より長いともいわれる。

ユーラシアグループによる説明には、TikTokを使いこなすZ世代への警戒感がにじむ。同社によれば、Z世代は抗議活動を通じ、政治社会を動かそうとする傾向が他の世代と比べて高い「活動家世代」である。長い経済不況、学校での銃乱射事件、コロナ危機など国内外のさまざまな危機を体験しながら育ったZ世代は、既存の政治社会に不満を募らせ、人種差別や性差別の是正、経済的な公正を求めてラディカルな抗議活動に従事する。しかもこの世代は生来のデジタル世代であり、オンライン上でさまざまな抗議を行う術にも長けている——このようにZ世代は「リスク」とみなされているのである。[*11]

中国の技術力がアメリカを猛追する中で、アメリカではいよいよTikTok脅威論が高まっている。TikTokアプリを通じ、アメリカの利用者の個人情報が中国政府に流出しているのではないかといった懸念が高まっているのだ。すでに連邦政府の職員が仕事で使う端末でのTikTokの使用は禁止され、州レベルでも州から支給された端末でのTikTokアプリの使用を禁じる動きが拡大している。２０２３年３月には、議会下院の外交委員会がTikTokの国内での利用を禁止する法案を可決した。この法案が成立すれば、１億人を超える利用者に影響が出るともいわれている。２０２３年４月中旬、モンタナ州議会はTikTokの運営会社に同州での事業活動を全面的に禁じる法案を全米で初めて可決した。

TikTok脅威論は世論にも浸透している。2023年3月時点でTikTokアプリの禁止に賛成する人は50％に上り、反対する22％を凌駕した。さらに、9割近い人（88％）が個人情報の取り扱いについて中国企業は信頼できないと回答し、まったく信用できないとする人は6割近く（59％）に及んだ。[*12]

TikTokを運営するバイトダンスは、中国政府による干渉はないと主張しており、今のところTikTok利用者のデータが中国政府に流出しているという明確な証拠は出てきていない。にもかかわらず、なぜここまで懸念が高まっているのだろうか。その根拠とされているのが、いかなる組織や個人も国家の情報活動に協力しなければいけないと定めた中国の国家情報法だ。この法律の存在ゆえに、中国政府からデータを渡すように要請があれば、中国企業は逆らえないのではないか、アメリカ政府やアメリカ企業の重要な情報が中国政府のもとに渡り、国家安全保障に影響を及ぼすのではないか、といった懸念が生まれているのだ。

国家安全保障は大事だが、すべてではない

アメリカに広がるTikTok脅威論と禁止の動きから最も距離を置いているのがZ世代だ。

ピュー・リサーチ・センターの世論調査では、その他のすべての世代でTikTok禁止に賛成の人が反対の人を上回る中で、Z世代は禁止に反対（53％）が賛成（34％）を上回った。[*13] Z世代も個人情報が悪用される可能性に懸念を抱いていないわけではない。しかし、TikTokはそうした懸念だけで手放してしまうには、Z世代の日常にあまりに深く根づいているということだろう。

その利用の仕方にも変化が現れている。当初は歌う、踊るといった娯楽中心の動画がメインだったが、最近では若者同士が政治社会や歴史などについて対話し、学び合うコンテンツがますます充実している。２０２０年5月に黒人男性ジョージ・フロイドが白人警官に殺害され、黒人差別への怒りが高まる中で、TikTokはブラック・ライブズ・マター運動を推進するためのコンテンツの制作・拡散のツールとして、多くのクリエイターやユーザーに活用された。国内問題のみならず、イスラエルとパレスチナ間の紛争や、その紛争へのアメリカの関与などをタブーなしで学び、議論する場にもなっている。TikTokは社会正義を求めて運動するZ世代にとって欠くことができないツールになりつつある。

正義や差別の問題に敏感な若者たちは、単に中国企業であるというだけで、アメリカ企業が運営するFacebookやInstagramには向けられなかったような厳しい視線やいわれのない批判が向けられることにも敏感であり、批判的だ。

アメリカで高まるTikTok脅威論が、客観的な証拠ではなく多分に反中感情に裏付けられたものであることを露呈したのが、2023年3月23日（アメリカ時間）に連邦議会で行われた、TikTokの最高経営責任者（CEO）である周受資（ショウ・ジ・チュウ）の公聴会だった。周はかつてFacebookでインターンをしていた経験もあるミレニアル世代の事業家だ。公聴会は5時間を超え、議員たちからは多くの厳しい質問が周に投げかけられた。質問は、TikTokと中国の情報機関との関係を断定するようなもの、周をあたかも中国政府の代弁者のように扱うものも少なくなかった。周が質問に答えようとすると、議員の他の質問によってさえぎられるシーンも見られた。議員たちが公聴会を通じてTikTokの個人情報保護の方針や実態を明らかにすることよりも、周を攻撃することそれ自体に意義を見いだしていることは明らかだった。

個人情報の濫用（らんよう）や子どもへの悪影響といった問題を抱えている企業はTikTokだけでない。過去にFacebookは最大8700万人分の利用者データの流出事件を起こし、流出した利用者データはイギリスの選挙コンサルティング会社ケンブリッジ・アナリティカ（CA）によって2016年大統領選におけるトランプ勝利のために使われていたことも明らかになっている。このことを告発したＣＡの元従業員クリストファー・ワイリーが著書『マインド・ハッキング――あなたの感情を支配し行動を操るソーシャルメディア』（原書２０１９年）で赤裸々に語っているところによれば、ユーザーのプライバシーに関するFacebookの管理体制は驚くほど緩く、研究者や企業に対して利用者のデータを提供することにも前向きだった。その後もFacebookをめぐっては、利用者データの管理に疑いを抱かせる事件に事欠かない。２０２１年には、５億３０００万人超の利用者データが流出し、同年、「Facebookが子どもたちを「まだ手がつけられていない富」と呼んでいたことが、流出文書によって明らかになった。

連邦議会で行われた公聴会で発言する周受資（2023年3月23日）

　こうした他社の状況があるにもかかわらず、利用者データの取り扱いについてTikTokが集中的に標的にされることに、反中感情や人種差別が絡んでいないと見るのは難しい。メタ社が反TikTokキャンペーンを全国的に組織するために、国内最大級の共和党系コンサルティング会社に報酬を支払っていたという報道もある。

Z世代は政治や大企業の欺瞞に敏感だ。公聴会で、いかに議員が侮蔑的な態度を示しても、無知でピントを外した質問をしても、誠実に答えようとする周の姿を捉えたミームは広く拡散され、多くの賞賛のコメントがついた。こうしたZ世代の行動を「国家安全保障への危機感の欠如」とくさす大人たちもいるが、Z世代にも国家安全保障についての懸念がないわけではない。しかし彼らは、客観的な証拠もないにもかかわらず「国家安全保障」を錦の御旗にして公然と人種差別や不公平な扱いが正当化されることには納得しない。TikTokへのアメリカ政府や議員の、現時点ではやや感情的ともいえる対応を、Z世代は冷静に見つめている。

議員の中にも、圧倒的な少数派だがこうしたZ世代の姿勢を理解しようとする人物もいる。若者に絶大な人気を誇るニューヨーク州選出の民主党議員、アレクサンドリア・オカシオ＝コルテスはその1人だ。アメリカ史上最年少（当時29歳）で下院議員に当選し、ミレニアム世代を代表する政治家としてAOCの愛称で親しまれる彼女は、TwitterやInstagramでは多くのフォロワーを持つ存在だ。AOCは、公聴会があった2日後、TikTokに初めての動画を投稿して本格参戦し、「TikTok禁止のような重大な決定が下される場合には、そのような決定が必要な理由や情報を国民はきちんと共有される必要がある」と訴えた。

未来の協調に希望をつなぐ

アメリカの人々の対中感情は歴史的な悪化を見せているが、世代によって差が見られる。ピュー・リサーチ・センターが２０２３年3月末に行った調査によると、65歳以上の91％が「中国を好ましくない」と回答したが、18歳から29歳だとそれが74％に下がる。「米中は貿易や経済政策についても協力できない」と回答した人の割合も、65歳以上のアメリカ人だと51％にのぼるが、18歳から29歳だと27％だ。[*14] 全般的に厳しい値であるが、それでも若年層ほど中国をただ脅威とみなすより、パートナーとみなす視座を持ち、貿易や経済面での米中協調に望みをつなごうとしている。

この数字は何を意味するのだろうか。若者は中国の脅威を理解せず、協調を夢想している――そのような「若者の理想主義」と理解してしまっていいのだろうか。

むしろ、そこにあるのは現実主義だろう。古い世代は、長く中国に対して優越感を持ってきた。中国が分野によってはアメリカに比肩する存在となった今も、どこか発展途上国という印象が拭い去れないでいる。これに対してZ世代は、強国としての中国しか知らない。その中国観には、どの世代よりもこれから長く、強国中国とともに生きていかなければならない世代としての現実主義が刻まれている。

アメリカ市民の対中感情の悪化にもかかわらず、世界的な危機の解決に向けて米中が協力する必要は高まるばかりだ。ウクライナで軍事侵攻が起こり、すっかり世界の関心がそちらに向けられていた間も、気候危機は着実に進展してきた。2023年3月、国連の気候変動に関する政府間パネル（IPCC）は報告書で、地球の気温上昇幅を1・5度に抑える共通目標の達成のためには、世界の温室効果ガスの排出量を2035年までに2019年比で60%減らす必要があると指摘した。温室効果ガスの排出量で世界1位と2位の中国とアメリカの対立の深化は、気候危機への対応をさらに困難にしてしまう。また、冷え込む米中関係とは裏腹に、両国の経済関係は深化し続けている。2022年、アメリカの中国との貿易額は4年ぶりに過去最高を更新した。2023年4月、ジャネット・イエレン財務長官は、中国が突きつけている安全保障上の脅威や中国が抱える人権問題については断固たる姿勢を示すとしたうえで、米中の経済的なつながりを切り離す「デカップリング」は「両国にとって破滅的だ」と述べ、経済面での関与を続けることを強調した。

将来的にZ世代が社会の中心となっていくにつれて、米中の間に協調の機運が生まれていくだろうか。アメリカのZ世代に比べ、中国のZ世代にそうした機運が乏しいことは事実だ。中国のZ世代もデジタル・ネイティブだが、彼らが享受しているデジタル空間は、俗に「グレートファイアウォール（金盾）」と呼ばれる巨大な検閲と監視下にある。このことから中国のZ世代は「グレートファイアウォール世代」とも呼ばれる。彼らの上の世代であるミレニアル世代は、Yahoo!ニュースやGoogle検索、YouTube、Facebookなどを通じて欧米市民と同じニュースに同時並行的に接することができた。インターネット上には政府の腐敗を暴いたり、その統治を批判したりする言説も存在していた。2000年、中国政府が初めてインターネットの検閲システムを導入したときも、中国共産党を批判するいくつかのウェブサイトがブロックされただけだった。

しかし現習近平体制において、言論の締めつけは急速に強められている。欧米のウェブサイトや中国政府にとって都合が悪い情報やサイトへのアクセスは遮断され、Facebook、WhatsApp、Instagram、YouTubeなどの使用も不可能になった。「グレートファイアウォール」を回避するためのバーチャル・プライベート・ネットワーク（VPN）の入手は困難になり、入手した中国国民は処罰されるようになった。検閲の回避方法を編み出した企業には、厳しい罰則が科されている。代替として中国独自のチャットサービスや動画サービス、WeiboやWeChat、Douyinなどが使われるようになり、政府に批判的な言論やコンテンツは、当局による検閲だけでなく、「非国民」をあぶりだそうとするネット世論によって「自発的」にも取り締まられていった。

中国のZ世代についての情報は、開かれた自由社会のZ世代についての情報よりも少ないが、中国が右肩上がりの成長を遂げていた時代に生まれ、制限された言論空間を当然のものとして育った中国のZ世代は、その前の世代よりも外国に対する不信感やナショナリズムを強く持つとも指摘されている。

今日彼らは、もはや真の言論の自由を求めていないことを示唆する研究結果もある。2018年、政治学者のユユ・チェンとデヴィッド・Y・ヤンは約1800人の中国人大学生を対象に、「グレートファイアウォール」を回避してインターネット上のどのサイトにも自由にアクセスできるツールを無償で提供した。しかし、実に半数近くの学生がそのツールを使わなかった。*15 彼らにとって、「グレートファイアウォール」やそれによって制限された言論空間は、外国発の偽情報から国や自分たちを守り、安全と安心を実現させるものですらあるのだ。

自由社会のZ世代とは異なる情報環境に育ち、異なる価値観を持って生きる中国のZ世代と関係を築き上げていくことが困難であることは間違いない。しかし、インターネットで容易につながり、アイディアを交換することができないからこそ、研究や教育上の交流を保ち続けることが大事だとZ世代はよく理解している。対中感情が悪化する一方の昨今のアメリカだが、米中間の科学・教育交流を制限することに若い世代ほど慎重だ。高齢者層の過半数が中国人留学生の数の制限を支持しているが、若い世代になると反対が賛成を逆転する。[*16]

Z世代は米中のより平和的な共存を諦めていない。それは協調に幻想を抱くからではない。どんなに相容れない価値観を奉じていても、対立する案件を抱えていても、中国という大国とともに生きていかねばならないことを彼らはわかっている。また、気候変動などグローバルな危機に対応するためには限定的でも協力しなければならないこともわかっている。Z世代の現実主義は、どのような米中関係の未来を切り拓いていくだろうか。困難な課題だが、彼らは諦めていない。

第四章 終わらない「テロとの戦い」——Z世代にとっての9・11

「テロとの戦い」への懐疑

第一章で論じたように、Z世代は、アメリカは世界において比類なき存在であり、特別な使命を負っているという「例外主義」的な考えからますます距離を置いている。彼らの「例外主義」への冷めた眼差しは、対外政策にも向けられてきた。今まであまりに当然とされ、深く問われることがないままに正当化されてきた外交や戦争にも、懐疑と批判の目が注がれるようになっている。

その端的な例が「テロとの戦い」への懐疑と批判だ。「テロとの戦い」の端緒は、2001年9月11日に起こったアメリカ同時多発テロ事件である。この日、4機の飛行機が国際テロ組織アルカイーダに乗っ取られ、そのうちの2機がニューヨークの世界貿易センタービルに、1機はワシントンD.C.の国防総省に突撃し、残る1機はペンシルベニア州の原っぱに墜落した。最後の1機はユナイテッド航空93で、ハイジャック犯はワシントンD.C.へと飛行することを求めていた。連邦議会議事堂をターゲットに決めていたといわれている。しかし乗客たちが協力してハイジャック犯を制圧し、任務を遂行する前に飛行機を撃墜させた。乗客たちの決死の行動については、映画「ユナイテッド93（United 93）」）（2006年）に克明に描かれている。これらの事件で2977人が犠牲になった。

テロが起こった当日、ジョージ・W・ブッシュ政権は、アメリカが「世界で最も輝く自由と機会の国だから攻撃された」との認識を提示し、その数日後、世界に次の選択を迫った。「我々とともにあるか、テロリストの側にあるか」。

愛国心の高まりの中でブッシュの支持率は9割を超え、テロ実行犯が潜伏していると断定されたアフガニスタンへの軍事行動への支持率も9割に迫った。[*1] 若者もこうした愛国心の高まりから自由ではなかった。ハーバード大学がテロの1カ月後、全米の学部生1200人を対象に行った調査によれば、学生の79%がアフガニスタンでの空爆を支持した。4人に3人が、軍隊が正しいことをすることを常に、あるいはほとんど信じていると答え、男子学生の7割超が、もしも選抜徴兵制が再導入され選抜されたら従軍すると答えた。[*2]

しかし、9・11が起きたときに生まれていなかったか、あるいは物心がついていなかったZ世代は、9・11やそれに続くアメリカの軍事行動に関して、異なる考えを持っている。この世代にとっては9・11そのものより、むしろその後に起きたことこそが圧倒的なリアリティだ。アメリカ進歩センターの2019年の調査では、ますます多くのアメリカ市民が「中東・アフガニスタンでの戦争は時間、人命、税金の無駄遣いであり、自国の安全には何の役にも立たなかった」と回答しており、Z世代だと7割近くになる。[*3]

9・11を記憶する

もちろんアメリカ社会には、9・11を直接知らない世代にその記憶を伝承していく仕組みがさまざまにつくられている。

アメリカでは毎年、最初の1機が世界貿易センタービルの北棟に衝突した時刻である8時46分に、犠牲となった2977人を追悼するために黙禱（もくとう）が呼びかけられ、ニューヨークでは追悼集会が開催される。また、倒壊した世界貿易センタービルの跡地には、この事件を記憶し、犠牲者を追悼するための9・11メモリアルと記念博物館が建設され、2014年5月から一般公開されている。博物館の中には犠牲者ひとりひとりの顔写真で埋め尽くされたメモリアル・ウォールがあり、その他に、犠牲者の当日の所持品や、ハイジャックされた飛行機の乗客が家族にかけた最後の電話の肉声なども公開されている。「テロ犠牲者」という総体ではなく、それぞれの人生を生きていた具体的な個人に思いを馳（は）せられる工夫が凝らしてあるのだ。

2022年6月、博物館内のメモリアル・ウォールに、当時世界貿易センタービル北棟のフード・サービスの従業員だったアントニオ・ドーシー・プラットの写真が展示され、犠牲者すべての写真の展示が完了した。この事件を決して風化させないという強い意志が伝わるエピソードだ。9・11メモリアルと博物館を訪れた2000年生まれのある若者は、こう語っている。

世界貿易センタービルの跡地に建てられた9.11メモリアル

> 長い間、9・11同時多発テロ事件ついて、学校で「絶対に忘れない（Never Forget）」と教えられてきましたが、そのことが何を意味するのか、私には理解できていませんでした。そのときの私には、9・11は日付や負傷者数、失われた人命など、数字だけの問題でした。（中略）しかし18歳のとき、ニューヨークにある9・11メモリアルと博物館に見学に行き、（中略）果てしなく続く名前のリストを見て、9・11が未曽有の大惨事であったことを理解したのです。[*4]

しかし、博物館については「忘れられている命があるのではないか」という批判や疑問も寄せられている。博物館は、９・11テロから10年以上が経過した後に完成しているにもかかわらず、事件後の世界情勢の分析はほとんどない。テロを実行したのがアルカイーダであり、アフガニスタンのタリバン政権がその指導者のオサマ・ビンラディンらを匿っていると断定したブッシュ政権は、タリバン政権がビンラディンらの引き渡しに応じなかったとして、アフガニスタンでの軍事作戦を開始した。タリバン政権はアルカイーダと友好関係にあり、「客人を匿う」というパシュトゥーン人の伝統に基づいて、アメリカからの引き渡し要求を拒否したのだった。10月、「無限の正義」と名付けられたアフガニスタンへの軍事作戦が開始され、翌月には首都カブールが陥落。「無限の正義」という作戦名は宗教的な含意があると問題視され、後に「不朽の自由」に改名されたが、多数の自国民の命を奪った９・11へのアメリカの強い怒りと、その報復は絶対的に正義だという強い確信が刻まれた名前だった。

誰が忘れられてきたのか

アフガニスタンへの軍事攻撃を開始した大統領ブッシュが、「誰がアフガニスタンを統治するのか？」と側近らに尋ねたというエピソードがある。つまり、タリバン政権を崩壊させた後のアフガニスタンについて青写真もないままに、アメリカは攻撃を始めたのである。

アフガニスタンでは、崩壊させせられたタリバン政権に代わり、アメリカの強力な後押しで新政権が樹立されたが、その基盤は脆弱だった。アフガニスタンは多数の部族から成る国で、長年にわたりイギリスやソ連、アメリカといった外国の介入に翻弄されてきた。国の特徴や歴史を踏まえることなく、外国勢力に決定的に依存した政権を打ち立て、欧米を模した近代国家を作ろうとしたことにすでに大きな問題があった。新政権の統治は首都カブール周辺の限定的な地域に留まり、地方に散らばったタリバン勢力と米軍・NATO軍との戦いは各地で継続され、多くの市民が犠牲になった。アフガン市民の犠牲者の数は、20年間で4万7千人超と算出されている。

また、脆弱な基盤しか持たない新政権に海外から湯水のように資金が流入したが、大量の資金は人々のニーズに即して使われることなく、深刻な政治腐敗も生まれていった。政治の腐敗は新政権が国民の支持を得られない原因の一つにもなった。*Washington Post* 紙の調査報道「アフガニスタン・ペーパーズ」は、ブッシュ以降の歴代政権とそのスタッフたちが、アフガニスタン新政府が腐敗していること、まともな統治などできないことを知りながらその実態を国民に隠し続け、あたかもすべてがうまくいっているかのように語り続けてきた欺瞞を、内部文書によって詳細に明らかにしている。*5

アフガニスタンだけでも相当な人員や金銭が無駄に使われ、多くの命が奪われたが、2003年には大量破壊兵器の保持を疑われた――これは後に虚偽であったことが判明する――イラクに対する戦争も始まり、アメリカは世界各地で20年超に及ぶ「テロとの戦い」に本格的に従事することになる。過去20年間の死者の総計は90万人にのぼり、民間人も36万~38万人超が犠牲になった。

もちろん、9・11の犠牲者たちに、「テロとの戦い」によってもたらされた犠牲について責任があるわけではない。しかし、9・11博物館のみならず、今年に至るまで毎年行われてきた9・11の追悼集会でも、「テロとの戦い」の犠牲者については沈黙が守られている。毎年、9・11の犠牲者を「決して忘れない」と誓うアメリカは、その後20年間の戦争で亡くなった命には、まだ向き合うことすらできずにいる。

たった1人の反対

タリバンがテロ組織アルカイーダのメンバーの引き渡しに応じなかったことは確かだ。しかし、タリバンがアメリカ市民の攻撃を実行したわけでも、企図したわけでもない。また、当然のことながらアフガン市民は9・11とはまったく関係がない。アフガニスタンに対する報復的な軍事行動は、本当に許されるものだったのだろうか。冷静に考えれば疑問符がつくことばかりの軍事行動だったが、テロ事件の衝撃の中で、アメリカの人々のほとんどがそれを「正しい戦争」とみなした。しかし、空爆に抗議するアフガニスタンのカブール大学の学生たちは、次のような横断幕を掲げていた。「誰がテロリストなのか?」。

民主党バーバラ・リー下院議員。アメリカの性急な軍事行動に警戒と批判の目を向け続けてきた

そうした中で、アメリカ議会でただ1人、アフガニスタンへの武力行使を認める決議に反対した議員がいる。カリフォルニア州選出の民主党下院議員バーバラ・リーだ。テロから数日後、議会は9・11に関係した「国家、組織、人」に対し、大統領が「必要かつ適切な武力」を行使することを認める決議(武力行使承認決議:AUMF)を採択した。リーは、テロ攻撃に対して武力で対応すること自体に反対であったわけではない。しかし、AUMFが成立してしまえば、目標も終

結の時期も決まっていない戦争を始めるための「白紙委任状」を大統領に渡すことになり、議会が戦争に対してまったく歯止めをかけられなくなると懸念した。「少し立ち止まり、今日の我々の行動がどのような意味を持つのか、考えましょう。制御できなくならないように」。そうリーは訴え、決議への反対票を投じた。

このときリーは、その朝に多くの議員とともに出席したテロ犠牲者の追悼式で、ネイサン・バクスター牧師が述べた言葉を思い出していた。「私たちが嘆く悪と同じにならないように」。決議には、当時上院議員だった現大統領のバイデンも、後にアフガニスタンとイラクでの戦争を痛烈に批判することになるバーニー・サンダース下院議員(当時)も、公民権運動のリーダーの1人で、非暴力の信奉者として知られていたジョン・ルイス下院議員も賛成した。もっともルイスはその後、決議に賛成したことへの後悔を表明している。それでも当時は、「テロを許すことはできない」という気持ちが勝ったのだという。

愛国心に沸き立つアメリカ市民は、リーのAUMFへの反対票に激昂した。リーのもとには「お前こそ世界貿易センタービルにいるべきだった。非国民め」「戦争屋の中で、唯一の平和主義者として名を残すことを望んだんだろうが、お前は失敗した。お前は勇気ある議員の中で、ただ1人の臆病者として歴史に名を残す」といった内容のメールや電話が何千通も届いた。脅迫も相次いだ。

その後、リーの懸念通り、AUMFはアメリカが「テロとの戦い」をアフガニスタンのみならず、中東やアフリカなどへと拡大する根拠とされ、さらにはキューバのグアンタナモ米海軍基地内で「テロ容疑者」に対し超法規的な拘束や尋問をする法的根拠にもされた。リーは中傷や脅迫に屈することなく、AUMFを撤回する決議案を過去何度も提出してきたが、これまで一度も成立に至っていない。バイデン政権は、アフガニスタンにおける「テロとの戦い」の終了を宣言したが、その根拠とされたAUMFは撤廃されていない。米軍制服組トップのマーク・ミリー統合参謀本部議長は「我々が活動を続けるのに不可欠だ」という認識を示している。

命の値段

2023年に日本でも公開された「ワース 命の値段」という映画がある。9・11の後すぐに、犠牲者の遺族や現場で被害に遭(あ)った人を救済するため、公的資金で9・11被害者補償基金が設立された。事件後すぐに、ハイジャックされた飛行機の航空会社などを相手にした集団訴訟の動きが持ち上がったが、こうした訴訟が多発すればアメリカ経済への大打撃になりかねない。それを危惧した政府が、訴訟を回避することを目的の一つとして立ち上げたのだ。補償金の受け取りと引き換えに訴訟権の放棄を求める形で、遺族や被害者合計5560人に対し、総額約70億ドル超（当時のレートで約1兆500億円）が配分された。この補償プログラムの特別管理人に任命され、犠牲者ひとりひとりの補償額を決定する中心的な役割を担ったのが、弁護士ケネス・ファインバーグだ。彼は33カ月間にわたって無報酬で取り組んでいる。人の命に「値段」をつける仕事に対して報酬をもらうのは適切ではないと考えたからだという。

映画は、1000近い個別聴聞会を開催し、2500人ほどの遺族と面談して、テロで失われた人の命に「値段」をつけるという、前代未聞の大仕事に取り組んだファインバーグの葛藤を描き出していく。個々人への補償金の額は、ファインバーグが独自に打ち立てた計算式によって算出され、個人の年収履歴などから割り出された経済的損失に加え、犠牲者が被った苦痛も考慮された。9・11被害者補償基金の最終報告書によれば、有資格者の97％が補償プログラムに参加し、犠牲者の遺族は平均約200万ドル（当時のレートで約2億4000万円）、負傷者は平均約40万ドル（約4800万円）を受け取ったという。

これに対し、アフガニスタンでは米兵によって殺害された民間人が補償を求める標準的なプロセスは確立されなかった。自国民と他国民は違う。それで片付けられる話だろうか。ともに不条理な暴力の犠牲者だ。命というものほど、国境の存在を感じさせるものはないかもしれない。

「女性を解放するため」の戦争？

アメリカの圧倒的な軍事力の前に、タリバン政権は2001年11月には瓦解し、首都カブールも制圧された。しかしここで軍事行動は収束を見ることなく、新たに「女性の解放」という目的が掲げられ、継続していった。同月、国務省はタリバン政権による女性の抑圧の実態について詳述した報告書「タリバンの女性に対する戦争（The Taliban's War Against Women）」を公表し[*6]、同日、ブッシュ大統領夫人のローラ・ブッシュはラジオ演説を行い、「テロとの戦いは、女性の権利と尊厳のための戦いでもある」と訴えた[*7]。

このとき「抑圧されたアフガン女性」の象徴とされたのが、ムスリム女性がまとうブルカだった。ニューヨーク州選出の下院議員（民主党）のキャロライン・マロニーはブルカを着用して議会で演説し[*8]、タリバンによる女性への非人道的な扱いを列挙して、アフガニスタン攻撃を正当化した。マロニーは「自分では声すらあげられない」アフガン女性を代弁しているつもりだった。フェミニスト・マジョリティ財団など、主要なフェミニスト団体も「アフガン女性を解放するための戦争」に賛同した。同財団はアフガニスタンにおける軍事行動を「希望の連合（coalition of hope）」とすら呼んだ。

フェミニスト・マジョリティ財団の認識は、アメリカが最終的にアフガニスタンに新たな政府と秩序をもたらすことに失敗し、米軍を全面撤退させた20年後の今も、本質的には変わっていない。アフガニスタンからの米軍撤収に際し、同団体はバイデンとハリスに宛てて「アメリカはアフガン女性を見捨ててはならない」と題した書簡を発表し、タリバンの非人道性を強く訴え、安易に承認や取引をしないよう強く訴えた。[*9]

連邦議会でブルカを着用して演説する、民主党キャロライン・マロニー下院議員

事実として、タリバン政権が復活した後、アフガン女性の人権状況は明確に悪化している。国際社会から承認を得ようとして、タリバン政権は当初女性の人権を尊重することを約束していた。男女とも通える学校の設立について国連児童基金（ユニセフ）と合意もして

いる。タリバン政権はこれらの国際社会との約束をもとに、いったんは女性の中等教育再開を予告したが、実施当日になって突然その再開を取りやめた。さらに宗教警察にあたる勧善懲悪省を復活させ、女性に対して公共の場で全身を覆う衣服を着用することを義務付けるなどしている。こうしたタリバン政権の姿勢は、イスラム教を国教とする国々からも問題視されている。サウジアラビアやアラブ首長国連邦（UAE）は女性の大学教育停止を批判する声明を出し、タリバンとの深いつながりが指摘されてきたパキスタンも再考を求めている。

こうしたタリバン政権による女性の抑圧を、フェミニスト・マジョリティ財団らのフェミニストは厳しく批判してきた。そして過去20年間、新政権のもとでエンパワーされたアフガン女性たちも、タリバンによる弾圧に屈することなく女性の権利を求めて街頭デモを繰り返している。私たちがこうしたアフガン女性の戦いに関心を向け続けることは、とても大事だ。そのうえで、タリバン政権を批判するアメリカのフェミニストには、タリバンだけではなくアメリカもまた、その軍事力でアフガン女性の生命や生活、人権を深刻に脅かしてきた存在であること、そして、フェミニズムを標榜しながら自分たちもアメリカの軍事攻撃を肯定し、その正当化に協力してきたことへの内省が欠けていることは指摘しなければならない。生き延びたとしても、家父長制が根強いアフガニスタン社会にあって、戦争で男性の親族を失った女性やその子どもの人生は苦難に満ちたものとなった。

中村哲医師がみた9・11

「あそこ（アフガニスタン）に生きている生身の人間がおるというのをどこか忘れているんですね」。これは約30年にわたってパキスタンとアフガニスタンで医療活動に携わった中村哲医師の言葉だ。１９８４年にパキスタンのペシャワールに赴任した中村医師は、20年以上にわたりハンセン病患者のための医療活動や山岳医療に従事した後、アフガニスタンに活動の場を移し、医療に加えて灌漑（かんがい）事業にも取り組み、２０１９年12月、アフガニスタンで現地の武装勢力の凶弾に倒れるまで活動を続けた。

アフガニスタンがアメリカによる軍事作戦の対象とされたとき、人々は干ばつに苦しんでいた。なぜ、テロ組織アルカイーダによる犯行への「報復」として放たれた爆弾が、罪もなく、精一杯日々を生きているアフガニスタンの人々の上にも降りかかるのか。中村医師はこの「報復」の不条理を次のように糾弾した。

昼夜問わずテレビが未知の国「アフガニスタン」を騒々しく報道する。ブッシュ大統領が「強いアメリカ」を叫んで報復の雄叫びを上げ、米国人が喝采する。湧き出した評論家がアフガン情勢を語る。（中略）「自由と民主主義」は今、テロ報復で大規模な殺戮戦を展開しようとしている。おそらく、累々たる罪なき人々の屍の山を見たとき、夢見の悪い後悔と痛みを覚えるのは、報復者その人であろう。瀕死の小国に世界中の大国が束になり、果たして何を守ろうとするのか、素朴な疑問である。[*10]

９・11により、さまざまな人生があり、家族や愛する人があった２９７７人もの尊い市民の命が失われたことの悲劇は、強調してもしきれない。その一方で、９・11後、アメリカが「正義」や「自由」を掲げて正当化してきたアフガニスタン侵攻によって、多くの罪のない市民の命が奪われたことも事実だ。２００１年にまだ生まれていなかった「ポスト９・11世代」がますます増えていく中、その悲劇を語り継いでいくことは重要だ。博物館や毎年行われる追悼集会は大きな役割を果たすだろう。同時に重要なことは、今まで20年超にわたって、何が語られてこなかったのか、誰の命が忘れられてきたのかを問うことだ。アメリカやＮＡＴＯ軍の空爆、各地で続く武装闘争によって、多くのアフガニスタン市

アフガニスタンで医療活動・大規模灌漑事業に取り組んだ中村哲医師

民の命や生活が奪われる中で、命を救うことだけをひたむきに追求したのが中村医師だった。アフガニスタンの大干ばつから、「１００の診療所より１本の用水路を！」という確信を強めた中村医師は、井戸の復旧や掘削に取り組み、２００２年にはアフガニスタン東部における農村復興のための「緑の大地計画」を発表、翌年から大規模な灌漑用水路の建設に取り組んできた。総延長約25キロメートル超、１日の送水量40万トン、灌漑面積３０００ヘクタール超に及ぶ灌漑用水路は、砂漠化して荒れ果てた大地を緑の農地へと生まれ変わらせてきた。このことによって、恒常的な水不足に悩まされてきた65万人のアフガニスタンの人々が救われたといわれている。

日本政府も賛同し、後方支援を行ったアメリカによる軍事行動が多くのアフガニスタンの人々の命を奪う中で、ひたすらその命を救うことだけを考え、尽力してきた中村医師の功績と、その活動を基礎づけた哲学は、あらためて貴重な遺産として心に刻まれるべきではないだろうか。

アメリカ＝女性の解放者言説の欺瞞

話を戻そう。米軍の撤退後、アメリカのアフガニスタン報道の多くが、復活したタリバン政権がいかに女性に抑圧的かにフォーカスした。そうした報道は暗に、アメリカがプレゼンスを保っていた時代のアフガン女性は解放されていたという前提に立っていた。

しかし、アメリカはアフガン女性の人権の促進やエンパワメントにおいて、どのような役割を果たしてきたのか。本当にそれは「解放者」としてのみ理解されるものなのか。これはより詳細に検討されるべきことだ。この点で参考になるのが、政府から独立した立場でアフガニスタン復興を調査する目的で２００８年に議会が設立した「アフガニスタン復興担当特別監査官（ＳＩＧＡＲ）」の報告書だ。

ＳＩＧＡＲは２０１４年、ジョン・ソプコ特別監査官の指示で、「得られた教訓（Lessons Learned）」というプロジェクトを立ち上げ、アフガニスタン復興の行き詰まりと失敗の原因を究明してきた。２０２１年2月の報告書「ジェンダー平等を支援する――アフガニスタンでのアメリカの経験からの教訓」は、20年にわたるアメリカのアフガン女性支援を総括し、不確実性が増すアフガニスタンで、今後いかに女性を支援していくべきかの教訓を探っている[*11]。

　報告書は、率直な反省を表明している。２００２年から２０２０年にかけて、アメリカ政府はアフガン女性を支援するプログラムに7億８７００万ドルもの資金を投入したが、実施されたプログラムには失敗も多かった。報告書は失敗の根本原因として、アフガニスタン固有の歴史や文化へのアメリカ側の無理解を指摘する。アフガン女性に対する抑圧は、決してタリバンの影響のみに起因するものではない。アフガニスタンの家父長制は、タリバンの台頭よりはるかに以前から存在してきた社会的・文化的な要因によるものであり、タリバンを軍事力で一掃すればなくなるようなものではない。こうした歴史的・文化的な課題を、アメリカはよく理解していなかった。報告書はこうした反省に立脚し、アフガニスタンにおけるジェンダー平等は、アフガン男性を含め、ジェンダー平等への理解を社会に根づかせていく地道な努力を通じてしかもたらせない、と強調している。

　報告書の発表に合わせて用意された声明で、ソプコ特別監査官は、首都カブールの外で生きる、多様なアフガン女性への注意をあらためて促している。アメリカでアフガン女性といえば、１９７０年代、欧米の影響を受けて首都カブールをミニスカート姿で歩いていた女性の姿か、タリバンの影響下でブルカの着用を強制された犠牲者としての女性、いずれかのイメージに単純化されてきたが、アフガン女性の実態ははるかに多様である。20年にわたるアメリカの女性支援は、都市部の女性の政治的なエンパワメントに偏る傾向があり、多様な女性の境遇や価値観、声を汲み取ったものとは言い難かった。

　報告書でもソプコの声明でも強調されたのは、「平和」と「女性の権利」は決してゼロサムの関係ではない、ということだった。[12] アフガニスタンからの米軍撤退に際し、アメリカの前に存在していた選択肢は、女性の権利を犠牲にしてタリバンと合意を結び、妥協的な平和を実現するか、女性の権利を守るために平和を犠牲にするか、そのような極端な二者択一ではなかったはずだった。しかし、実際にはこのように単純化された議論が支配的になり、米軍の撤退後、タリバンが相当な勢力を握ることになるアフガニスタンにおいて、具体的にどのように女性の人権を守っていくかという問いはなおざりにされた。

　２０２０年２月、当時のトランプ政権がタリバンと合意した内容は、米軍撤退のタイムラインや、タリバンとアフガニスタン政府の捕虜交換などに関わるもので、女性や市民的自由の保障については言及されなかった。このとき野党であった民主党は、トランプ政権が米軍撤退を急ぐあまり、女性の人権を犠牲にしていると強く批判したが、結局のところバイデンも、タリバンが権力を掌握した場合には、アフガン女性の人権が大きく脅かされる可能性も理解しながら、8月末に設定された期限に向けて米軍を撤退させることを優先させた。アフガニスタンの人々を見捨てたという批判を受けてバイデンは、そもそもアメリカの目的は2001年に同時多発テロ事件を起こしたアルカイーダが再びアメリカ本土を攻撃しないようにすることと、アフガニスタンがそのようなテロ攻撃の拠点とならないようにすることにあったとして撤退を正当化した。こうしたバイデンの主張はつまり、アフガニスタンの人々の人権は、アメリカのアフガニスタン関与の主要な目的ではなかったと公に認めたようなものであった。

Z世代フェミニストの問い

繰り返しになるが、アフガン女性の人権や生命を脅かしてきたのはタリバンだけではない。アメリカもまた深刻にそれらを脅かしてきた存在だ。アフガン女性の権利の問題について、タリバン＝「抑圧者」／アメリカ＝「解放者」という単純化された図式だけを誇張するならば、それは欺瞞だ。

この20年間で女性の解放が一面では促されたことは確かだ。ブルッキングス研究所の報告書「アフガニスタンにおける女性の権利の運命」(2020年)によれば、2003年には初等教育を受ける女子生徒は10%に満たなかったが、2017年には33%に増加している。女性の平均寿命は56歳(2001年)から66歳(2017年)に延び、出産時の死亡率も劇的に低下した。2020年までに女性公務員の割合は21%に増え、女性国会議員も27%まで上昇している。*13

しかし、このような経済的・社会的・政治的なエンパワメントを実現させたのは、戦禍の影響が比較的少なかった都市部の女性たちであり、女性の人口の7割超を占めるといわれる農村部の女性たちは、荒廃した国土でかろうじて命をつないできた。

アフガン女性の生命や人権を脅かしてきた要因は複合的だ。アメリカはある面ではその要因を除去し、女性の人権を伸長させる役割を結果的には果たしたかもしれないが、その軍事力によって人々の権利や生活を踏みにじってきた存在でもある。アメリカによる軍事攻撃、アメリカや諸外国の支援を受けた諸軍閥の割拠、そのことによる国土の荒廃や治安の悪化もまた、アフガニスタンの人々、特に社会で脆弱な地位にある女性をさらなる窮乏へと追いやってきた重大な要因だ。

今後もアメリカのみならず国際社会全体で、タリバン政権が女性をどう扱うかを厳しく監視し、場合によっては制裁を科していく必要がある。他方で、アフガニスタンの混迷の責任をすべてタリバンに押しつけ、タリバンの非人道性を教条的に批判し、制裁を科すだけでは、女性の権利や生命を現実的に守る道は見えてこない。タリバン政権という現実の中で、どのように女性の安全や権利を具体的に守っていくのか。人権外交を高らかに掲げてきたバイデン政権だが、今のところこの問題に具体的な解答や政策を示せずにいる。

もっとも希望がないわけではない。人種や宗教、価値観がますます多様化する今日のアメリカには、アフガニスタン戦争について、より批判的な、新しいナラティブも生まれてきている。2022年の中間選挙に向け、ニューヨーク州第12選挙区の民主党予備選挙で古参のマロニー下院議員に挑戦したラナ・アブデルハミドは、未来のフェミニズムのあり方について大きな問いを投げかけた。エジプト系にルーツを持つ彼女は10代の頃、道でヒジャブ（スカーフ）を暴力的にはぎとられそうになった経験から、アメリカ社会で周縁化され、差別されてきたムスリム女性のエンパワメントのために戦ってきた社会活動家である。政治への挑戦を表明したときは、まだ30歳にもなっていなかった。

アブデルハミドは、「9・11以降のニューヨークで育った若いムスリム女性として」、マロニーが2001年、議場にブルカを着用して現れ、「女性の人権」を掲げてアフガニスタンへの武力攻撃を擁護したことを痛烈に批判している。アメリカをアフガン女性の「解放者」とみなすナラティブは、アメリカのアフガニスタン侵攻、それがもたらした破壊により、数えきれないアフガン女性たちの命や生活が失われた現実を覆い隠してしまう。そうアブデルハミドは訴えてきた。

ラナ・アブデルハミド

またヒジャブを暴力的にはぎとられそうになったアブデルハミドの経験は、9・11をめぐって十分に語られてこなかったもう一つの暴力の所在を明らかにしている。テロの実行犯としてイスラム過激派のアルカイーダが特定されて以降、アメリカ社会には「イスラム教徒＝潜在的なテロリスト」という偏見に基づく反イスラムの暴力が吹き荒れた。「イスラム教徒っぽい」「中東っぽい」外見というだけで攻撃の対象とされ、命を落とす者もいた。イスラム教徒への憎悪に基づく犯罪は、9・11テロが起きる前の2000年から2009年にかけて500％も増加した。[*14]

イスラム教徒への偏見は9・11テロから20年経った今も消えてはいない。毎年9月11日にテロの犠牲者が追悼されるとき、どれだけの国民が、9・11後にイスラム教徒への憎悪や暴力の犠牲となった人々のことも想起しているだろうか。アブデルハミドの政治への挑戦は、9・11をどう理解するか、誰の立場から考えるかについて重要な問いを提起していた。

結局、アブデルハミドは予備選の途中で撤退を余儀なくされ、マロニーもジェロルド・ナドラーに敗北し、本選進出を阻まれた。ともに70歳を超える候補の戦いだった。ニューヨーク州のように民主党が圧倒的に強いプログレッシブな地域では、もはや女性やマイノリティの政治家自体に新しさはない。アブデルハミドのような、旧来の民主党の女性政治家とは違う、新しい政治や社会、平和のビジョンを持った女性政治家が求められている。

第五章 人道の普遍化を求めて
――アメリカのダブル・スタンダードを批判するZ世代

不可視化された「テロとの戦い」

２０２２年にロシアがウクライナに侵攻して以来、メディアは連日戦況を伝え、世界各地で反戦の声があげられてきた。対照的に、アメリカが遂行してきた「テロとの戦い」に対しては、大規模な反戦の声は、少なくとも先進国では起こっていない。戦争を遂行している当のアメリカのメディアや市民ですら、極めて限定的な関心しか持ってこなかった。それは自分たちが関わっている戦争であり、あまり論じたくないからなのか。もちろんそうした心理は大きく作用しているだろう。

しかし、それだけではない。アメリカの「テロとの戦い」は、ドローン攻撃の多用によって巧妙に不可視化されてきた。ドローン攻撃は、アフガニスタンやイラク以外の国・地域でも広範に行われ、相当な数の市民が巻き添えになってきたが、相応の関心を向けられることすらなかったのである。

ドローンの使用が飛躍的に増大したのは、オバマ政権においてだ。２０１６年7月、オバマ政権は、２００９年から２０１５年の間にパキスタンやイエメン、ソマリアなどでドローン攻撃が合計４７３回行われ、64〜１１６人の民間人が巻き添えとなって死亡したと発表したが、民間の調査団体の調べによれば、実際には公式発表よりはるかに多い民間人が犠牲になったとみられる[*1]。

これらの犠牲者の中には、アメリカ政府から謝罪や補償を受けるどころか、テロと関係のない罪なき市民であり、誤爆で命を落としたことを認めてすらもらえない人々が多数存在する。イギリスのロンドンに拠点を置く非営利団体、調査報道局（ＴＢＩＪ）はこのことを問題視し、調査プロジェクト「死者に名付ける（Naming The Dead）」を立ち上げ、２０１１年以降、パキスタンでアメリカのドローン攻撃によって死亡した２３７９人の名前を明らかにすることを目指してきた。このプロジェクトでは７０４名の犠牲者の名前が確認され、そのうち民間人は３２２名、99名が子どもであった[*2]。

パキスタンの民間犠牲者への対応と対照をなすのが、アメリカ人ウォーレン・ワインスタインとイタリア人ジョバンニ・ロポルトをアメリカが誤爆した際、オバマ政権がとった対応である。２０１５年4月、アフガニスタンとパキスタンの国境近くにあるアルカイーダの施設を標的としたアメリカのドローン攻撃が、人質とされていた2人の命を奪ったことが判明すると、オバマは「深い遺憾」を表明した。このときオバマ政権は、通常は極秘扱いとされる作戦情報を開示して作戦の見直しを発表し、数時間後ジョシュ・アーネスト報道官を通じて、犠牲者の家族に補償を行うとも表明している。この発表の際にオバマは、事態を受けて即、関連文書の機密指定を解除し、作戦の見直しを行ったことは、公開性を重んずる民主主義国としてのアメリカの類稀な性質を表しているのだと誇ることも忘れなかった。[*3]

こうしたオバマのダブル・スタンダードを鋭く批判した1人に、パキスタン人のファヒーム・クレシがいる。クレシは2009年、オバマが大統領に就任してわずか3日後に許可した最初のドローン攻撃で重傷を負った1人で、当時彼は14歳だった。クレシの傷は深かった。胃には爆破片が突き刺さり、上半身は裂傷した。医師たちは火傷を負った左半身全体を手術し、レーザー手術によって右目の回復に成功したが、左目は救えなかった。男性親族を多数失ったことで、当時10代だったクレシは突如として家族や親族を養う立場となり、学業も諦めた。何年にもわたり、クレシとその弁護士は、パキスタンの部族連絡員、アメリカ大使館、国連人権理事会など、さまざまなルートを通じて補償を求めてきたが、いずれも実を結んでおらず、補償はおろか、謝罪すら受け取っていない。

苦渋の年月を過ごしてきたクレシにとって、オバマのダブル・スタンダードは許されるものではなかった。クレシは誤爆の犠牲者が西洋人であった場合と、非西洋人であった場合とのアメリカ政府の対応の違いについて、怒りをこめて次のように問うた。「私たちパキスタン人は、殺された2人の西洋人と同じ人間ではないのか?」[*4]。150人のパキスタン人の空爆被害者の代理人を務める弁護士シャザード・アクバルも、アメリカ政府のダブル・スタンダード、その根底にあるレイシズム（人種主義）を次のように糾弾した。

> 西洋人の殺害に対し、反省の弁を述べるアメリカ大統領の姿は、パキスタンの空爆被害者にとっては、どのようなメッセージになるだろうか。（中略）「お前たちは重要ではない、お前たちは劣った神の子どもなんだ、西洋人が殺されたときだけ私は嘆くのだ」、そんなメッセージではないか[*5]。

アメリカのドローン攻撃による市民の犠牲は、等しく悲劇だ。しかし、これらの犠牲者へのアメリカ政府の対応に、レイシズムが作用していたことを見過ごすわけにはいかない。

ドローン攻撃への抗議運動（2012年、パキスタン）

「ドローン大統領」オバマ

「テロとの戦い」の手段としてドローンへの依存を強めたのはオバマであったが、そこにはどのような考えがあったのか。日本でオバマは、2009年4月5日、チェコのプラハで行った「核なき世界」演説や、2期目の退任直前2016年に果たされた被爆地広島訪問など、アメリカ大統領の中では平和的な大統領だというイメージが強いかもしれない。また、オバマは上院議員だった2007年にイラク戦争を批判したことで一躍有名になった人物でもある。

しかし、オバマは前大統領のブッシュが始めた「テロとの戦い」そのものに反対したわけではない。彼はイラク戦争を選ぶ必要がなかった「選択の戦争」とみなし、「責任ある終結」を掲げる一方で、アフガニスタンにおける戦争を「必要な戦争」とみなしていた。

オバマは、ブッシュ政権が遂行した「テロとの戦い」が、グアンタナモ米海軍基地における「テロ容疑者」の虐待など、非人道的な側面があることを問題視したが、「テロとの戦争」そのものは批判しなかった。リベラル派の法学部教授であったキャリアに鑑みても、安全保障問題に関しては甘い顔を見せてはならない、むしろ徹底したリアリストの顔を見せなければならないとオバマは考えていた。2020年に出版した『約束の地――大統領回顧録』では、次のように、やや誇らしげなトーンで語っている。「私は、左派の一部の人々とは異なり、ブッシュ政権のテロ対策のすべてを批判することはなかった」[*6]。

こうした認識のもと、オバマが試みたのは、「テロとの戦い」そのものの否定や問い直しではなく、その必要性と継続を前提としたうえでの「人道化」であった。ドローンによる「標的殺害（targeted killing）」は、米兵の犠牲を出さずに、テロリストに標的を絞った攻撃を可能にし、市民の巻き添え被害も最小にとどめる「人道的」な兵器とみなされたのである。

オバマがドローン攻撃をどう考えていたのかをよく表していたのが、2013年、国防大学で行われた演説だった。この演説でオバマはあらためて、対テロ戦争は「正義の戦争であり、比例的に、そして最後の手段として、自衛のために行われている戦争である」と訴え、その過程で生み出される民間人の犠牲について次のように述べた。「確かに、アルカイーダとの戦いは、他の武力紛争と同様、悲劇を招く。しかしアメリカは、罪のない人々が犠牲になる可能性が最も低い行動方針を選択している」[*7]。

しかし、オバマの弁明は数々の意味で疑わしい。オバマ政権下のドローン攻撃では、「シグネチャー・ストライク（signature strike）」や「ダブル・タップ（double tap）」など、無関係の市民が巻き添えになる可能性が大きい攻撃方法も選択された。「シグネチャー・ストライク」とは、その人物の身元に確証が持てなくとも、過激派特有の行動のパターンに基づいて標的を特定し、殺害する作戦だ。国際人道法上、軍事攻撃は常に、民間人と戦闘員を区別しなければならないし、民間人の犠牲を最小限にするために実行可能なすべての予防措置を講じなければならない。「シグネチャー・ストライク」はこの原則に反している。

「ダブルタップ」とは、最初のドローン攻撃を行い、それに続いて救助者や第一応答者を対象とした2回目の攻撃を行う作戦である。同じ場所を連続して攻撃することで、標的の殺害を確かなものとすることができる。この「ダブルタップ」は、最初の攻撃の犠牲者が武装勢力であるという仮定、そして最初の攻撃を受けた現場に集まってくる人たちも武装勢力だという仮定に基づいている。しかし、この二つの仮定を事実で裏付けることは困難だ。また、最初の標的が正当な標的であったとしても、最初の攻撃を受けて現場に集まってきた人々も軍事的な標的とすることには明らかな問題がある。こうした問題のある攻撃方法もオバマ政権で常態化した。人権団体は戦争犯罪の疑いがあると強く批判している。

今日、表向きの「平和」の顔に隠された「ドローン大統領」としてのオバマのレガシーは、ますます世界で問題視され、批判されるようになっている。そしてそうした批判は、オバマ本人に届く形でも展開されている。

2018年7月、南アフリカのヨハネスブルグでネルソン・マンデラ元大統領の生誕100年を記念する講演会が企画され、オバマは講演者として招待された。オバマは「変化する世界でマンデラのレガシーを更新し、積極的な市民活動を推進する」というテーマで講演する予定だった。しかしこの招待に対し、南アフリカの市民社会からは、オバマの大統領としての経歴は、反アパルトヘイトの象徴であるマンデラの生誕100周年記念講演の栄誉にふさわしくないという批判の声が広がった。人権団体ケージのアフリカ支部は公開書簡で、オバマが8年間の在任中に、特殊作戦やドローン攻撃で多くの市民を殺害し、アフリカでの米軍の活動を拡大させたことなどを挙げながら、講演の機会を与えることは、これらの行為を容認することだと批判した。[*8]

ネルソン・マンデラ元大統領の生誕100年を記念する講演会で演説するオバマ

第二章で触れたように、オバマは人道上問題がある発言や行動をした政治家や著名人をＳＮＳなどで糾弾し、その人物を仕事や広告などで起用しないよう「キャンセル」を呼びかける「キャンセルカルチャー」には批判的だった。しかし「キャンセル」の理由が、ドローン攻撃で多くの無辜の市民を殺してきたことであったとしても、彼はそれを批判しただろうか。オバマは南アフリカ市民社会からの批判には、応答していない。

永久戦争？

「ドローン大統領」の称号は、オバマ政権で副大統領だったバイデンにも受け継がれていきそうだ。

２０２１年のアフガニスタン撤退後もバイデン政権は、「テロとの戦い」そのものは継続する意向を示し、その手段としてドローン攻撃にますます依存する考えを示している。アフガニスタンからの米軍の撤退を完了させた２０２１年8月31日、バイデンはこう宣言した。「アフガニスタンなどでのテロとの戦いは継続する。ただ、そのために地上戦は必要ない。我々はいわゆるオーバー・ザ・ホライズン（Over The Horizon）能力と呼ばれるものを有している。つまり、地上軍を駐留させることなしに、あるいはほとんどなしに、テロリストや標的を攻撃することができるのだ」。さらにこう続けた。「この能力は先週も発揮された。ＩＳＩＳ－Ｋ（イスラム過激派組織ＩＳの支部組織）が13人の米兵と罪のないアフガニスタンの人々を殺害した数日後に、遠隔操作で攻撃したのだ」[*9]。

このバイデンの宣言は明らかな欺瞞をはらんでいる。バイデンがここで宣伝した、８月29日のカブールでのドローン攻撃は、その後誤爆であったことが判明し、攻撃で亡くなったのは子ども７人を含む罪なきアフガン市民10人であった。

人権の思想史などで知られる歴史家サミュエル・モインは、近著『*Humane*（人道的な）』（未訳書）で、ドローンの使用などによる戦争の「人道化」の試みが、対テロ戦争を永続化させたという問題を提起している。ドローン攻撃は米兵の犠牲を出さないし、そこで殺される人々の顔も見えない。こうして暴力や殺人は不可視化され、人々はそれなりに「人道的」に攻撃が行われているとして対テロ戦争を許容し、戦争自体の妥当性を問い、批判する視座を失ってきたというのだ。事実、２０２１年夏までアメリカ市民の多くはアフガニスタンや世界各地で対テロ戦争が行われていること自体、忘れてきた。米空軍の公式のデータに基づく計算によれば、アメリカは過去20年間で他国に33万７０００の爆撃やミサイルを発射してきた（１日46発の計算になる）にもかかわらず、である[*10]。

忘れられるアフガニスタン

2022年11月に下院の多数派を奪還した共和党は、拙劣な形で遂行されたアフガニスタン撤退を、バイデン政権を攻撃する材料の一つとみなして厳しく追及してきた。2023年3月8日、連邦議会下院の外交委員会は、アフガニスタン撤退をめぐる調査を開始し、召喚された海兵隊員たちは、当時の「惨劇」を涙ながらに振り返った。

アフガニスタンからの完全撤退は、そもそもは共和党のトランプ政権の時代にタリバンとの間で取り決められ、バイデン政権で実行に移された。しかしその過程は混乱を極めた。2021年8月、タリバンは首都カブールを制圧し、長年アメリカに支援されてきたアフガニスタン政府はあっさりと瓦解。カブール国際空港にはタリバン政権による迫害を恐れて国外脱出を目指す市民が殺到し、混乱状況に陥った。そうした混乱に乗じて8月26日には、カブール空港付近でISIS－Kによる爆破テロも起こり、米兵13人やアフガン人約170人が犠牲となった。[*11]

アフガン人の避難に携わったデイヴィッド・スコット・マン中佐（現在は退役）は、撤退後、退役軍人ホットラインへの問い合わせが81％増加したことや、自身の友人の自殺などについて語った後、次のように強調した。「アメリカは、何世代にもわたって構造的に協力者を見捨てるという嫌な評判を作りつつある。ベトナムの山岳少数民族モンタニャールからシリアのクルド人に至るまで、我々は人間をごみのように捨て去ってきた」[*12]。

注目を集めた公聴会は、はからずも、２０２１年８月に米軍が完全に撤退してからの１年半、アフガニスタンがいかに忘れられてきたかを露呈した。そもそも過去20年間も、自爆テロで米兵が犠牲になるなどの事件が起きたとき以外、アメリカメディアのアフガニスタンへの関心はほぼ一貫して低かった。独立系メディアの安全保障政策改革研究所によれば、２００６年頃から戦乱に巻き込まれるなどして犠牲になるアフガン市民の数は増加し続けてきたが、犠牲者の数に比例して報道の頻度が上がることはなかった[*13]。さらに２０２２年２月、ロシアがウクライナに軍事侵攻すると、メディアや人権団体の関心は圧倒的にヨーロッパに向けられることになった。

戦争が長期化する中、ウクライナ市民の犠牲もどんどん増え、人道危機が加速している。ウクライナに対する人道支援も足りていない。しかし世界の関心が圧倒的にヨーロッパに集まる中で、他地域で悪化してきた人道危機はいよいよ忘れ去られている。その一つがアフガニスタンだ。アメリカは今のアフガニスタンの惨状に大きな責任を負っているにもかかわらず、である。

現在、アフガニスタンは危機的状況にある。国連難民高等弁務官事務所（UNHCR）によれば、2023年4月時点で紛争、暴力、貧困によって故郷や国を追われた人々は800万人を超え、国内避難民は300万人を超える。2021年の米軍撤退、それに続くタリバン政権成立の混乱の中で、各地の抗争が激化し、新たに多くの人々が国を追われることになった。女性と子どもがその70％を占めている。*14

欧米メディアがアフガニスタンの人々の苦しみに関心を寄せてこなかったわけではない。しかし、欧米メディアで「アフガン市民の人権」と言うとき、それはほとんどの場合、タリバン政権によって脅かされる都市部の女性たちの政治的な人権のことであった。アフガン女性の7割超を占める農村部の女性たち、とりわけ20年に及ぶ戦乱で男性の家族や親族を亡くし、荒廃した土地でぎりぎりの生活を強いられてきた女性たちの人権や生命には、欧米メディアはほとんど光を当ててこなかった。

米軍撤退後、欧米メディアは、復活したタリバン政権による女性弾圧について詳報する一方で、長期にわたるアメリカやNATOの軍事的関与によって生活基盤を破壊されてきた人々の窮乏についてはほとんど報じてこなかった。

経済制裁が加速させる人道危機

それどころかタリバン政権成立後、バイデン政権は金融制裁を、今までの軍事的な関与に代わる強制力としてますます重用し、その制裁の行使はアフガニスタンの一般市民の生活を大きく脅かしてきた。バイデン政権はタリバンがカブールを制圧して権力を掌握すると、アフガニスタン中央銀行がアメリカ国内に持っていた70億ドルを凍結し、さらに国際通貨基金（IMF）からアフガニスタンに送られる予定であった4億ドルの拠出も止めた。これらの一連の措置により、アフガン社会では深刻な現金不足が生じ、市民生活は大きく脅かされた。国連開発計画（UNDP）は2021年9月初旬に発表した報告書で、タリバンが権力を握った8月15日以降、外国からの支援が止まるなどして食糧価格が高騰し、翌年までに最大で人口4000万人のうち97%が貧困に陥る可能性があると警告を発した。[*15]世界保健機関（WHO）も、国内にある2300の医療機関のうち90%が閉鎖の危機に晒されていると警鐘を鳴らし、[*16]ユニセフは5歳未満の子どもの2人に1人が栄養失調に陥ると警告した。[*17]現地で活動するNGOからも、アメリカによる制裁がアフガン市民の生活を大きく混乱させ、人道危機を悪化させているとの声が何度となくあがってきた。

バイデン政権はこうした声を受けて、あくまで制裁の対象はタリバン政権であり、人道支援は制裁の対象外であると強調してきた。しかし、実際には制裁は現地の人道支援に多大な影響を与えている。現地の輸送業者や銀行は、万が一の可能性としても、アメリカ政府に制裁違反を疑われ、財務省のブラックリストに掲載されることを恐れて、国連の諸機関や人道支援団体と関わること自体を避けようとする。もしもブラックリストに掲載されれば、それは企業としての死を意味するからだ。

さらに２０２１年2月、バイデンはアメリカ国内で凍結されていたアフガニスタン中央銀行の資産70億ドルに関し、驚くべき内容の大統領令に署名した。その大統領令は、一見人道的な内容であった。凍結資産の半分にあたる35億ドルをアフガニスタンでの人道支援に使うとしていたからである。もっとも具体的な資金の使途や、タリバンの利益にならずに直接国民に支援が届く仕組み作りについての議論はこれからとしており、深刻化する人道危機に即応しようとするものではなかった。

さらに大きな問題は、残り35億ドルの使用用途であった。タリバンを相手取って賠償金の支払いを求める訴訟を起こしてきた9・11の遺族グループが、凍結資産からの支払いを求めており、バイデン政権はこの求めに応じる可能性を残すため、アフガニスタン中央銀行の凍結資産のうち35億ドルの扱いを保留するとしたのである。

国連諸機関や人権団体が、アフガニスタンで世界最悪規模の人道危機が起きていると警告を発する最中で決定されたバイデン政権の措置に対しては、即座にアフガニスタン支援団体や人権団体から、それはアフガニスタンからのさらなる収奪であり、人道上許容され得ないという怒りの声があがった。２０２２年３月、ワシントンD.C.の連邦地方裁判所も、アフガニスタン中央銀行の凍結資産を９・11遺族への賠償金支払いには使用できないとの判断を下した。

アフガン市民を経済的にさらに困窮させるこの措置に対しては、他ならぬ９・11遺族からも反対の声があがってきた。９・11遺族が結成した団体、平和な明日のための９・11遺族（September 11th Families for Peaceful Tomorrows）は、何百万人ものアフガン市民が飢えて死ぬ前に、アフガニスタン中央銀行の凍結資産を解放し、アフガン市民を救うために用いるべきだと強く求めている。同団体のメンバー、バリー・アマンダソンは*New York Times*紙のインタビューで、アフガニスタン中央銀行の凍結資産はアフガン市民のものであり、９・11遺族のものではないとあらためて強調し、次のように述べている。

確かに、事件の遺族が失われた正義を求めることは理解できる。しかし、アフガニスタン中央銀行の凍結資産を9・11遺族への賠償の資金源として使うことは、20年にわたる戦争に苦しんだ後も、アメリカや国際社会が科した経済・金融制裁によって苦しみ続けているアフガン市民にさらなる損害を与える行為に他ならない。それはあまりにひどい彼らへの裏切りではないか。[*18]

また、独立系メディア*Intercept*誌のインタビューに答えたテリー・ロックフェラーも、20年の「テロとの戦い」が終わった後もさらなるアフガン市民の犠牲を生み出すような政策を遂行することがあれば、テロを終わらせることなど決してできないと主張し、凍結資産をアフガン市民の命を救うために使うことは道徳的な要請であるばかりでなく、国家安全保障上の利益でもあると強く訴えている。[*19]

アメリカのダブル・スタンダードを批判する若者たち

Z世代は、アメリカで構造的な差別にさらされてきた黒人の命と尊厳を訴えるブラック・ライブズ・マター運動の中心的な担い手となってきたが、彼らの視野は決して国内に留まらない。ますます世界各地の差別や暴力、特に自分たちの国、アメリカが行使してきた暴力や加担してきた抑圧に厳しい批判を向けている。

外交や安全保障についての若者の啓発を目的の一つに掲げるシンクタンク、ユーラシア・グループ財団が2021年9月に発表した報告書によると、18歳から29歳までの回答者の60%近くがアフガニスタンでのドローン攻撃に批判的であった。この数字はより年長世代の倍以上にあたる。[*20] またこの世代は、ロシアや中国などの「権威主義国家」とアメリカなどの「民主主義国家」という、就任以来バイデン政権が掲げてきた二分法的な世界観を無批判的に受け入れることもしない。むしろ彼らが指摘するのは、アメリカの偽善とダブル・スタンダードだ。

アメリカの歴代政権は、民主主義や人権の擁護者を対外的に自負しながら、アメリカの同盟国や緊密な関係にある国家がそれらの価値を踏みにじることを黙認し、さらには手厚い援助や支援を与えてきた。人権外交を華々しく掲げたバイデン政権も、新疆ウイグル自治区や香港での中国政府による人権侵害を強く批判する一方で、イスラエルによるパレスチナ人の殺害や人権侵害は黙認し、国民の人権を蹂躙し続けてきたフィリピンのロドリゴ・ドゥテルテ政権に多額の軍事援助をしてきた。権威主義国家に対する民主主義国家の結束を示すことを目的に、バイデン政権の肝煎りで２０２１年12月に開催された民主主義サミットにはフィリピンも招聘され、そこでドゥテルテは「フィリピンでは報道の自由、表現の自由は完全に享受されている」と公然と主張した。Ｚ世代の若者たちは、ドゥテルテのような人権抑圧的な権威主義国家の詭弁、そしてそれを擁護し、援助するアメリカにますます批判的になっている。

また、アメリカという国の抑圧性・暴力性を考えるうえで無視できない問題が、イスラエル・パレスチナ問題だ。アメリカで黒人が白人警官によって不条理に殺害されるのと同様に、イスラエル兵によってパレスチナ人が日々、殺害されてきた。

２０２０年5月25日、ミネソタ州のミネアポリスで丸腰の黒人ジョージ・フロイドが、白人警官に9分近く首を絞められ殺害されたことを端緒に、全米、さらには世界にブラック・ライブズ・マター運動が広がる中で、パレスチナ人たちはこれに敏感に反応し、共感と連帯の意を表明してきた。

フロイドの殺害の5日後、イスラエル併合下の東エルサレムで、パレスチナ人青年イヤード・ハッラークがイスラエル警察によって撃たれて亡くなった。イスラエルの警官は、障害を持つハッラークが銃を所持していると思い込んだために発砲したと弁明したが、それは誤認だった。イスラエルにおいて、パレスチナ人を殺害したことで警察側が罪に問われるケースはほぼ皆無である。ハッラークの殺害を受けて、パレスチナ人たちはイスラエル警察を糾弾するデモを行い、そこでは「イヤード（・ハッラーク）の命も重要だ」「イヤード（・ハッラーク）に正義を、ジョージ（・フロイド）に正義を」といったスローガンが掲げられた。

しかし、一つの命が理不尽に奪われたことに対し、世界が向けた関心の度合いはまったく異なっていた。アメリカ国内では市民たちが「黒人の命は大事だ」と叫び、これまで軽んじられ、簡単に奪われてきた命の尊さを説いているが、そのアメリカは国際的には、パレスチナ人の命を奪い続けているイスラエルの最大かつ強力な支援国である。

ブラック・ライブズ・マター運動が、アメリカ国内の人種差別的な制度や社会への抗議に留まらず、白人至上主義、黒人奴隷制の歴史、植民地主義や欧米中心主義など、あらゆる抑圧に対する抵抗運動であり、命を軽んじられてきたあらゆる者の連帯であるならば、その運動の射程は、イスラエルによるパレスチナ人の抑圧の問題、そして、その抑圧にアメリカが加担してきたことへの批判へと広げられていかねばならない。

ここにある問題を、カリスマ的な神学者として若者にも絶大な人気を誇り、熱心な社会活動家としても知られるコーネル・ウェストは、次のように指摘している。

「ジョージ・フロイドの葬儀で多くの人々が涙を流しているように、ヨルダン川西岸でも（中略）イエメンでも、パキスタンでも、アフガニスタンでも、マリでも同じような葬儀が行われている。（中略）世界中で行われているこのような葬儀において、アメリカは直接的な役割を果たさないまでも、（中略）その推進役の役割を果たしている」[*21]

ウェストは、アメリカ国内における警察組織の暴力性の問題は、世界各地で爆弾を落とし、殺人を行い続けているペンタゴンの暴力性、アメリカが世界大で展開してきた帝国主義政策の問題とともに論じられ、克服されていかねばならないと訴える。そしてアメリカ市民に対し、国内の暴力とともに、対外的にアメリカが遂行してきた軍国主義や帝国主義にも批判の目を向け、道徳的に一貫した態度をとることを求めるのである。なおウェストは2021年3月、当時在籍していたハーバード大学を、その「知的・精神的破綻」を理由に辞めた。後にウェストが公開した同大学神学部に宛てた書簡には、ウェストがパレスチナ人に対するイスラエルの扱いを公然と批判したことが、同大学がウェストのテニュア（終身雇用資格）申請を拒否した理由の一つになったのではないか、という疑問が記されている。ウェストがテニュアを得られなかった確たる理由は大学にしかわからないが、ウェストにはアメリカにおける黒人問題を政治経済や宗教、道徳など多角的な観点から分析した『人種の問題――アメリカ民主主義の危機と再生』（原書1993年）をはじめ数多くの学術書もあり、業績面で問題があったとは考えにくい。なおウェストは第三政党から2024年大統領選に立候補することを表明している。

コーネル・ウェスト

米中対立が深まる中で、バイデン政権が中国やロシアによる人権侵害を批判しながら、イスラエルによるパレスチナ人の人権弾圧を不問に付し続けるならば、アメリカの「人権」の訴えをまともに受け止めない国や人々が出てくるだろう。人権をより力強く、説得力を持って訴え、実現しようとするならば、人権を掲げる自分たちが人権侵害を行ったり、容認したりしていないか、常に厳しくチェックしていく必要がある。

これまでのところバイデン政権は、トランプ政権がほぼ停止していたパレスチナ難民の支援を再開するなど、同政権の露骨なイスラエルびいきを修正してはいるものの、かといってトランプの親イスラエル政策を根本的に覆すことはしていない。国連安全保障理事会でイスラエル非難の声明を阻止するために拒否権を行使することもやめていない。

Z世代は国益や国境に捉われず、気候危機のような国境横断的な危機や世界各地の抑圧・支配を、世界の人々と結びつきながら解決していくことに大きな関心を抱いている。国益をまったく無視するわけではないが、正義や人権をますます重視する姿勢ゆえに、Z世代は「社会正義（ソーシャル・ジャスティス）」世代とも呼ばれる。こうした新しい世代の台頭は、アメリカのイスラエル政策に変化をもたらしていくだろうか。

確かにアメリカのイスラエル政策には、さまざまな要因が複雑に絡み合っており、その変更は容易ではない。しかし、今日ブラック・ライブズ・マター運動は、明確にパレスチナとの連帯を打ち出し、アメリカの国家的なイスラエル擁護を批判の射程に収めている。イスラエル・パレスチナ問題に関し、どちらの立場により共感するかについて問うた2023年3月のギャラップ社の世論調査では、過去20数年間で初めて、パレスチナに共感すると回答した民主党支持者が、イスラエルに共感すると回答した民主党支持者を上回った（49％対38％）[*22]。この変化の要因としては、若い世代の親パレスチナ世論の高まりが指摘されている。こうした世論を背景に、オカシオ＝コルテスら民主党の進歩派議員は、イスラエルによるパレスチナ人の組織的な人権侵害と、それに加担してきたアメリカの責任を声高に指摘するようになっている。こうした新しい政治社会の動きの中で、アメリカはイスラエル・パレスチナ問題についてどのような選択をしていくのか。イスラエルの最大の庇護者として、抑圧に加担してきた過去と決別し、パレスチナ人の命と権利を守る選択をしていけるのか。長期的な変容への種は蒔かれている。

人道に潜むレイシズム

２０２２年2月24日、ロシアのプーチン大統領はウクライナへの全面的な侵攻を開始した。国連安保理の常任理事国の公然たる侵略行為、ウクライナ市民を大規模に巻き込んだ戦闘、難民の急増を受けて、ヨーロッパ、さらには世界の関心はウクライナに注がれている。ＵＮＨＣＲのフィリッポ・グランディ高等弁務官は3月6日、ロシアによる侵攻開始から10日間でウクライナから隣国などに逃れた人が１５０万人を超えたことを明らかにし、第二次世界大戦以降のヨーロッパで最も早いペースで難民の数が増えていることへの危機感を表明した。

ウクライナ侵攻に際し、国際社会が向ける関心や連帯の表明、支援の広がりは、まだこの世界で人道が死んでいないことを示すものだ。他方で、世界で人道危機が起こっているのはウクライナだけではない。ウクライナ侵攻に集中的に寄せられている国際的な関心や連帯の意思は、はからずも、私たちが世界の紛争地域とそこでの犠牲者に向けるまなざしが平等でないことを明らかにしてもいる。

メディアは連日、ウクライナの戦況や市民の犠牲、難民の状況を詳細に伝えてきた。日本でもわずか1週間で20億円もの寄付金が在日ウクライナ大使館に集まった。先に述べたように、アフガニスタンやミャンマー、世界各地で規模や残虐さにおいて引けをとらない人道危機が起きている中にあって、ウクライナへの世界的な関心と支援の輪の広がりは突出したものだった。

その背景には何があったのか。確かに、安保理常任理事国のロシアが公然と国際法に違反した軍事行動に踏み切ったこと、その戦場における残虐ぶりが世界の人々に与えた衝撃は計り知れないものがあった。また第二次世界大戦以降、ヨーロッパを舞台に起こった初めての大規模な国家間戦争は、多くのヨーロッパの国々にとって、自国の安全保障にもさまざまに関わる「自分ごと」でもあった。

しかし、それだけだろうか。ロシアによる侵攻開始直後の欧米によるウクライナ報道には看過できない発言が見られた。ＣＢＳニュース特派員のチャーリー・ダガタは、ロシアによる侵攻が始まった翌日の2月25日、自らが目にした光景から受けた衝撃を次のように言い表した。

「ウクライナは、イラクやアフガニスタンのように数十年も紛争が続いている場所とは異なり（中略）比較的文明化しており、ヨーロッパのような都市です。今回のようなことが起こるとは予想もできなかった場所です」

この発言は即座に多くの批判を招き、ダガタはその後謝罪した。

また、元欧州議会議員でジャーナリストのダニエル・ハナンは、イギリス *Telegraph* 誌の記事で、ウクライナの人々は「私たちにそっくり」であり、「だからこそ衝撃は大きいのです」と述べた[*23]。もちろんウクライナに、他地域のどこにも注がれなかった特別な視線が注がれた背景は、レイシズムだけでは説明できない。しかし、レイシズムを完全に否定することもできない。

数百万の規模に及んでいるウクライナ難民を、隣接するポーランド、スロバキア、ハンガリー、ルーマニアなどは温かく受け入れている。これらの国々は、中東やアフリカ、アフガニスタンからの難民の流入を阻止することに力を注いできた国々である。ドイツなどヨーロッパ諸国でも、ウクライナ難民を歓迎する動きが広がり、ソーシャルメディアには自宅でウクライナ難民を受け入れようとする市民の姿など、温かなエピソードがあふれている。これも、最近の他の難民危機ではあまり見られなかった話だ。

誤解がないよう強調しておくが、こうしたヨーロッパの人々のウクライナ難民の歓待ぶり、支援の輪の広がりは、このような陰鬱な世界でも人道が死んでいないことを示すものであり、勇気づけられることだ。しかし、2015年のシリア難民危機の際のヨーロッパ諸国の拒否的な対応、タリバンによる迫害を恐れて国外に出た、あるいは出ようとしているものの行き先を見つけられず現在も途方にくれている多数のアフガン難民を想起したとき、やはりその対応の違いを考えざるを得ない。

2015年から2016年にかけて、シリア難民を中心に約200万人の難民が迫害や暴力から逃れようとヨーロッパを目指した。だが、その受け入れはヨーロッパ諸国内で多くの反発を呼び、難民の多くは国境で足止めされ、さらには追い返された。デンマーク議会は2016年1月、難民認定の申請者が所持する現金や貴重品を、その滞在費として当局が徴収できるようにする「宝石法（jewelry law）」を賛成多数で可決している。これは中東やアフリカからの難民の流れを抑制することをねらいとしており、同様の措置はスイスやドイツ南部でも導入された。しかしデンマーク政府は今回の戦争で生じたウクライナ難民に関しては、同法の適用を免除する意向を示している。

こうした対応はヨーロッパに留まらない。カナダもまた、2021年8月中旬、タリバン政権が成立した場合、迫害を受ける可能性が高い女性指導者や政府関係者、少数民族を中心にアフガン難民を受け入れることを他国に先駆けて発表したが、その上限を2万人としていた。それとは対照的に、カナダは今回のウクライナ危機に際し、「無制限」のウクライナ難民の受け入れを発表している。

ウクライナと他地域の人道危機への対応の違いをどう説明すべきだろうか。そこには地理的な要因、政治的な要因などさまざまな要因が絡んでおり、それを「レイシズム」のひと言で片付けることはできない。しかしウクライナの人々は、「私たち（西洋人）にそっくり」だからこそ、今回の悲劇は衝撃的なのだ――欧米諸国の人々からも多くの批判が寄せられた発言ではあるが――そのような表現でしか説明できない要素があることも否めない。ウクライナ難民の受け入れについて説明する際、公然とそのように主張する政治リーダーもいる。ブルガリアのキリル・ペトコフ首相（当時）はこう語る。

「ウクライナの（中略）人々は、私たちがこれまでに見てきた難民とは違います。彼らはヨーロッパ人です。知的で教養のある人々です。彼らは（中略）素性も過去もわからない、テロリストである可能性がある人たちとは違うのです[*24]」

ウクライナ侵攻への国際社会の対応は、私たちが語る「人道」が決して普遍的ではなく、レイシズムを内在させていることを明らかにした。ともに大規模な人道危機でも、西洋人に「そっくり」な人々が住むウクライナと、そのようにはみなされない国や地域では、寄せられる国際的な関心には明らかに差がある。実際に人間の命が危機に晒される中で、ダブル・スタンダードの問題なんて考えていられない。そういう声もある。他方で、ダブル・スタンダードは危機においてこそ顕在化し、自覚されるものでもある。その解消は、ウクライナの人道危機を過小評価したり、同地への関心を低下させることによってなされるべきではない。アフガニスタンやイエメンをはじめ、忘れられてきた、そして今も忘れられている人道危機とそこで苦しむ具体的な人間を想起し、さらなる普遍性を追求することを通じて成し遂げられていくべきである。人道や正義のダブル・スタンダードにとりわけ敏感で批判的なアメリカのＺ世代が今後、どのような人道を掲げ、追求していくか、注目したい。

日本、そして私たちにできること

世界の関心が向けられなくなっても、ずっとアフガニスタンに向き合い続け、そこにいる人たちを助け続けたのが、前章でも触れた中村哲医師だった。彼は自分の活動についてこのように語っている。

> アフガニスタンやパキスタンに縁もゆかりもなかった自分が、現地に吸い寄せられるように近づいていったのは、決して単なる偶然ではなかった。しかし、よく誤解されるように、強固な信念や高邁（こうまい）な思想があったわけではない。[*25]

> 私たちは、いとも簡単に戦争と平和を語りすぎる。（中略）世界がどうだとか、国際貢献がどうだとかいう問題に煩（わずら）わされてはいけない。それよりも自分の身の回り、出会った人、出会った出来事の中で人として最善を尽くすことではないかというふうに思っています。[*26]

困っている人のために何かしたいが、中村医師のように利他的で崇高な行動ができるとは思えない。そう自問自答してしまう人は多いのではないだろうか。私もそうだ。しかし中村医師は、自分にも高尚な理想などはなかったし、そのようなものは人を助ける際に必要ないと明言している。

そんな中村医師が好んだ言葉が、天台宗の開祖、最澄の「一隅を照らす」という言葉だった。「国際社会のため」「人類を救う」といった、野心的な、しかし抽象的な理想を掲げるよりも、自分の身の回りからまず照らしていってくださいという意味だ。国際社会のために何ができるのかを考える際、その主語は「日本」のような、大きいものである必要はない。大きすぎる主語を出すと、むしろ自分がやるべきことが見えなくなってしまう。大きなことを成し遂げようとするからこそ、まずは小さな主語で語り、今いる場所で希望の灯をともすことが大事なのだと、中村医師の言葉と行動は示している。

中村医師が「一隅を照ら」していった結果作られた用水路は、何十万もの人々の命を救い、今なお救い続けている。世界各地で人々が紛争や貧困、飢餓に晒され、苦しんでいる世界で、日本は、そして私たちひとりひとりは一体何ができるのだろうか。そう迷ったときは、中村医師の声に耳を傾けてみるのもいいかもしれない。

もっとも、「確固とした援助哲学はない」とまで言い切っていた中村医師にも、譲れないことが一点だけあった。それは、現地の人々の価値観や心情、現地の文化や宗教を尊重し、現地の人々のために働くことだ。[*27] アフガニスタンの人々にとって、中村医師は救世主のような存在であったが、決して自分たちを見下ろすことなく、常に自分たちと同じ目線で悩み、考え、ともに汗を流す存在として「カカムラド（中村おじさん）」と呼ばれ、親しまれた。

9・11後の軍事行動によって破壊されたアフガニスタンの復興に、アメリカが何ら尽力しなかったわけではないし、功績がないわけではない。特に都市部の女性の人権状況については、明確な進展があったことは確かだ。しかし、アメリカのアフガニスタン関与の根底には常に、「後れた」アフガニスタンの人々に人権や西洋的な価値を「教える」という傲慢さがあった。20年超に及んだアメリカのアフガニスタン関与の失敗は、同国の歴史や、長い時間をかけて育まれてきた生活様式や価値観を尊重せず、西洋的な価値観と衝突するものはそのことをもって否定し、現地の人々と水平に向き合い協働する態度を欠いていたことの帰結でもあった。

第六章　ジェンダー平等への長い道のり——Z世代のフェミニズム

カマラ・ハリスの不人気

バイデンと現職のトランプが争った2020年大統領選でバイデンが勝利し、黒人、アジア系、そして女性として初の副大統領となったカマラ・ハリスは、次世代の女性たちにこう訴えた。「私が最初の女性の副大統領になるかもしれませんが、最後ではありません」。

バイデン政権の閣僚人事は、白人男性の閣僚が多数を占めたトランプ政権へのアンチテーゼたることを明確に意識し、「多様性」を前面に打ち出した。アメリカという多様な人々から成る国家を運営する政権なのだから、その姿を忠実に映し出す政権でなければいけない――こうしたバイデンの考えを反映し、新政権には先住民初の閣僚デブ・ハーランド内務長官、ヒスパニック系のアレハンドロ・マヨルカス国土安全保障長官、アジア系のキャサリン・タイUSTR（アメリカ通商代表部）代表、同性愛者であることを公言し、同性婚もしているピート・ブティジェッジ運輸長官など、人種的・性的マイノリティが多数登用された。

この多様な陣営の中でも、バイデン政権の「多様性」を最も象徴していた存在は、副大統領ハリスであった。ジャマイカとインドからの移民の娘であるハリスは、人種やジェンダー、さまざまな障壁を打ち破って黒人・アジア系女性として初めて副大統領となった存在として、次世代の希望とみなされた。この時点では多くの人々が彼女を次期大統領選挙の最有力候補とみなしていた。

しかし就任から1年後、すでに人気に翳(かげ)りが見えてきた。2021年11月に行われたUSAトゥデイとサフォーク大学の世論調査によると、ハリスの仕事ぶりを「評価する」アメリカ人は28％に留まり、「評価しない」人は51％にのぼった。その支持率は、同時期に行われた世論調査で38％を獲得したバイデンより10ポイント低いという衝撃的な数字であった。

それから2年半ほど経った今、次期大統領選の候補が本格的に話題にのぼる時期となったが、ハリスはもはや有力候補とすらみなされていない。多様性を象徴する新しい時代のリーダーにも見えたハリスは、Z世代の若者にも必ずしも支持されない存在となっている。ハリスへの期待はなぜ、萎んでしまったのか。本章ではこの問いを考えながら、Z世代が女性政治家に何を期待しているのか、どのようなフェミニズムを求めているのかを探っていく。

多様性を象徴する存在

ハリスはアメリカ社会の多様性を象徴するような存在だ。１９６４年、カリフォルニア州オークランドでインド系の母シャマラ・ゴパランとジャマイカ系の父ドナルド・ハリスの間に生まれた。母はがん研究者で、父は経済学教授というエリート家系の出身だ。幼い頃は黒人バプテスト教会とヒンドゥー教寺院の両方に通い、多様な文化や宗教を経験しながら育った。オバマを彷彿（ほうふつ）とさせるコスモポリタンな生い立ちだ。７歳のとき両親が離婚し、以降は妹マヤとともに母親に育てられた。名門黒人大学のハワード大学、カリフォルニア大学ヘイスティングス・ロー・スクールを卒業し、司法試験に合格。２００４年、サンフランシスコ市郡地方検事となった。

検事の仕事は犯罪者を刑務所に入れることまでだという考えがいまだ根強い中で、ハリスは元犯罪者の社会復帰プログラム「バック・オン・トラック」の作成に取り組んだ。「バック・オン・トラック」は職業訓練、ＧＥＤ（高卒認定試験）コース、社会奉仕活動、薬物治療などを盛り込んだ包括的なプログラムとして着実に成果を挙げ、オバマ政権時代の司法省によって全米のモデルプログラムにも選出された。２０１１年には、カリフォルニア州で黒人女性として初の司法長官に就任。サブプライム住宅ローン問題で多くの人々の自宅が差し押さえられると、大手銀行と対決して労働者世帯のために歴史的和解を勝ち取った。また、多くの裁判で死刑求刑を拒否したことでも有名となった。

以降のキャリアも「初」の連続である。2016年、黒人女性としてカリフォルニア州では初、全米では史上2人目の上院議員に当選し、与党共和党を鋭く追及する論客として頭角を現していく。そして2019年、民主党の大統領候補の指名争いに挑戦し、最終的に撤退したが、民主党大統領候補の座を射止めたバイデンから副大統領候補に抜擢(ばってき)され、2021年、女性初、黒人初、アジア系初の副大統領に就任した。

2021年に副大統領に就任したカマラ・ハリス

このような経歴を聞くとスーパーウーマンのように思えてしまうが、選挙戦でのアピールも兼ねて出版された自伝『私たちの真実 アメリカン・ジャーニー』(原書2019年)で、ハリスは挫折や働く女性の悩みについても赤裸々に語っている。ロースクールを修了し、検事を目指していたハリスは、最初の司法試験に失敗してしまう。

同期はほとんどが合格。彼らが自分の失敗について噂しているのを聞いてしまい、みじめな気持ちを味わったという。

自伝で描かれるハリスの人間関係の中でも印象的なのは、母についての回想だ。2020年大統領選でバイデンが勝利し、次期副大統領として演説を行ったときも、「私が今ここにいるのは、19歳でインドからアメリカに移住した母をはじめ、何世代にもわたり、自由と平等、正義のために闘い続けた黒人、アジア系、白人、ヒスパニック系、先住民の女性のおかげだ」と、正義と平等のためにこれまで戦ってきた女性たち、とりわけ母への感謝を表明した。

ハリスの両親は、公民権運動に従事していた中、カリフォルニア大学バークレー校で出会った。家族の議論の中心的な話題は社会正義であったという。両親は幼いハリスと妹をベビーカーに乗せて、公民権運動のデモ行進に連れていった。母は自分が南アジアをルーツとすることに誇りを持ち、2人の娘を自信と誇りに満ちた黒人女性に育てることに努めたという。2009年に亡くなった母について、本書でハリスは、「私の知る中で最も強い人」と語っている。

黒人コミュニティからの不信感

黒人、アジア系の女性として、ハリスが積み上げてきたキャリアは革命的なものだ。しかし、政治家としての立ち位置は必ずしも革命的ではない。ハリスは、公民権運動に参加する両親を見て育ち、早い時期から社会正義に関心を抱いたが、ストリートでデモに従事する活動家になろうとは思わなかった。社会正義を実現するには、体制の外からの抗議や働きかけだけでなく、体制の内からの変革が必要だと考え、後者に自身の役割を見定めていったのである。

その傾向は、すでに学生の頃から兆していた。ロースクール時代、ハリスは黒人法学生協会（ＢＬＳＡ）の会長に選出された。彼女は会長として、白人学生に比べて就職で苦労していた黒人学生の境遇を改善するために、大手法律事務所の経営パートナーに働きかけるなど精力的に活動した。このような経験を積み重ねるうちにハリスは検事を志すようになる。

その心情について、彼女は自伝の中で次のように語っている。

変化を起こすとはどういうことか、その一例を私は幼いころからこの目で見てきた。

外側から声をあげ、デモ行進し、正義を要求する大人たちに囲まれていたからだ。だが私は、内側、つまり意思決定がなされる場にいることが重要であることにも気づいていた。活動家たちがやってきてドアを叩いたら、彼らを招き入れる側になりたかったのである。

だが、将来についてのその決断は、周囲の人々にあまり歓迎されなかった。黒人コミュニティには検事について、その権力を正義のために用いるどころか、十分な証拠もなしに嫌疑をかけ、証拠を隠滅するために用いる悪しき存在だという不信が根強く存在していた。ハリスは歴史的な経験に根ざした黒人たちの検事への警戒心に理解を示しつつも、だからといって検事を批判し、敵視することに終始するのではなく、自らが検事となり、体制の内部からそれを変革することこそが正義だと考えた、と述懐している。

以降もハリスは、地方検事、州司法長官、上院議員、そして副大統領と、順調に権力の座を上り詰めていく。体制の外から正義を求める人々に対し、より広くドアを開けることができる存在となっていったのである。ハリスは州司法長官として、全米で初めて警察官にボディカメラの装着を義務付けたことを、外からの運動との共同作業の結果と意義づけている。「(ボディカメラ装着の義務付けを)実現できたのは、ブラック・ライブズ・マター運動が強烈なプレッシャーとして働いたからだ。あの運動がこうした問題を国家的な課題に押し上げて外部の環境を整え、それによって組織内の改革を成し遂げる機会が生まれた。得てして変化とは、そのように起きるのだ」。

しかし、「黒人の命は大切だ」と掲げて、過剰な警察暴力や大量投獄の変革を求めて運動する人々は、必ずしもハリスを仲間とは見ていない。ハリスの自伝も「黒人女性である私が、なぜ有色人種の若者を刑務所に送り込む『機械』の歯車の一つであることを黙って受け入れているのか」と、自身を批判する向きがあったことに言及している。現在でも民主党支持者の間には、ハリスを、警察権力の肥大化や大量投獄に加担してきた存在として批判的に見る向きは根強く存在する。

副大統領になってからのハリスは、全面的にブラック・ライブズ・マター運動への賛意を示しているものの、同運動の骨子であるところの警察予算の削減についての考えは曖昧にしてきた。ハリスの警察に関する考えは、この10年で大きく変化しており、いまだ定まっていないのかもしれない。2009年に出版された著書『*Smart on Crime*(犯罪に賢明に対処する)』(未訳書)の中でハリスは、警察への全面的な信頼に立って、「法を守る市民のほとんどは、警官が巡回しているのを見ると安全だと感じる」と断言している。警察による暴力は、あくまで個々の警察官の資質の問題であり、警察という組織の問題ではない、という認識がここには窺える。

しかし、州司法長官時代からその姿勢は徐々に変化していった。2期目の就任演説で全米の警察が「信頼の危機」に直面していると述べ、2016年の任期終了時には、警察の不正行為を調査する権限の拡大などを提案している。2020年の夏、ブラック・ライブズ・マター運動が全米で爆発的な広がりを見せる中、ハリスは*New York Times*紙のインタビューで、「より多くの警察官を路上に配備することで安全性が高まるという考えは、現状維持的であり、間違っている」と語っている。

もっともこのようなハリスの警察に関する見解の変遷を、機会主義的とみなす向きもある。ブラック・ライブズ・マター運動の共同発起人の1人、パトリス・カラーズは、「バイデンとハリスは決して救世主ではない」と強調し、バイデンとハリスの同運動への支持は単なるポーズではないか、という不信感を表明している。

寛容であることの困難

政権入りとその前でハリスのスタンスが最も劇的に変わっているのは、国境を越えてアメリカに入国しようとする中南米移民の問題かもしれない。自伝の中でハリスは、長年の内戦や治安悪化の結果、犯罪組織が跋扈し、殺人やレイプ、ドラッグが蔓延しているエルサルバドル、グアテマラ、ホンジュラスの悲惨な現状に言及し、「住民に残された唯一の選択肢は逃げることだ」としている。ハリスが州司法長官を務めていた時代、何十万もの人々が、これらの国々から北上し、メキシコ経由でアメリカに渡っていたが、ハリスは、これらの人々には亡命を求める法的な権利があり、またアメリカも国際法に則ってこうした人々を迎え入れてきた、とも明言している。

２０１７年、発足したばかりのトランプ政権は、中南米からの移民の一時的な保護状態を解除する大統領令に署名し、数十万人もの移民が法的な保護や権利を失う危険に晒された。さらにトランプ政権の司法長官ジェフ・セッションズは、不法に越境してきた成人については いかなる理由であれ刑事訴追を行うという、国境における「ゼロ・トレランス（不寛容）」方式を打ち出した。ハリスは自伝でこれらのトランプ政権の排外主義的な移民政策を強く批判し、メキシコに「壁」を建設して移民の流入を防ごうという同政権の試みにも明確な反対姿勢を表明している。そして、自由の女神の台座に記されたエマ・ラザラスの言葉――「疲れし者、貧しき者、自由の空気を吸わんと熱望する者をわれに与えよ」を引用しながら、アメリカは、困難な旅を経て、ときには命がけでこの国の岸辺にたどり着いた人たちを、敬意をもって迎え入れる寛容な国であらねばならない、と訴える。保護を求めてやってきた移民を受け入れるかどうかは、単なる政策論争ではなく、アメリカの価値観をめぐる問題であるというのが、ハリスの考えであった。

しかし、副大統領に就任し、2021年6月、初の外遊として中米グアテマラを訪問した際のハリスの移民に関する言動は、自伝で述べられたものとは対照的なものだった。アレハンドロ・ジャマテイ大統領との共同記者会見で、ハリスは次のように述べたのである。

「米墨国境まで危険な旅をしようと考えているグアテマラの人々には、はっきりと言っておきたい。来ないで。来ないで（Do not come）」。

「来ないで」は強調のため、二度繰り返された。税関・国境警備局の発表によると、2021年4月に米墨国境で拘束された移民の人数は17万8000人超にのぼっていた。20年ぶりの高水準だった。トランプ政権からバイデン政権に移行し、より寛大な移民政策がとられるのではないかという期待がその原因の一つになったとみられている。ハリスの「来ないで」という発言は、こうした事態を背景としていた。

この発言は即、民主党内の進歩派から厳しい批判を招いた。進歩派の顔ともいえるオカシオ＝コルテスは、亡命は権利であると掲げ、歴史的にアメリカはさまざまな内政干渉を通じ、ラテンアメリカ諸国の不安定化を促してきたのであって、「燃えている家をさらに燃やすようなことをしておいて、その家から人が逃げたことを責めることはできない」とハリスを糾弾している。

人権団体からも、ラテンアメリカ諸国に巣食う犯罪組織は、アメリカが支援する腐敗政権のもとで肥大化した経緯があり、その経緯を無視し、安全を求めてアメリカに向かう人々に「来ないで」というのは非人道的である、との批判が続々とハリスに寄せられた。

確かに、中南米の人々がアメリカを目指して北上する旅には多くの危険が伴う。だが多くの場合国内に留まっていても、あるいは留まっている方が、もっと絶望的な生活が待っているのである。

「壁」問題――「トランプ化」する民主党？

もっとも、中南米からの移民問題について一貫した姿勢を打ち出せていないのはハリスだけではない。これは民主党全体に重くのしかかる問題だ。

トランプの排他的な移民・難民政策を象徴したのが、メキシコとの国境沿いにつくられた「壁」だろう。2019年2月、トランプは防衛予算をメキシコとの国境沿いの「壁」の建設費用に充てるために非常事態宣言を発令し、退任までに250億ドル（約2兆6000億円）をかけて「壁」の建設を進めた。バイデンは、これを不寛容で非人道的な政策だと強く批判し、大統領就任後、非常事態宣言を撤回し、「『壁』は1フィートも建設することはない」と宣言した。

しかし、バイデン政権の移民・難民政策は、トランプ政権のそれと決別しているとはとてもいえない。2022年中間選挙前の7月、バイデン政権はアリゾナ州のユマに「壁」を建設すると発表した。突然の方針変更の背景には、中間選挙への懸念があった。アリゾナ州とメキシコとの国境沿いの「壁」は、ところどころ数十メートルから数百メートルの隙間があり、そこからアリゾナに侵入することができる。アリゾナ州では移民・難民の流入が有権者の一大懸念事項となっていた。

この状況は、アリゾナ州で州のポストや連邦議会の議席を狙う共和党候補が、民主党候補を攻撃するための格好の材料とされた。その政治スタイルやトランプとの親しさから

「女性版トランプ」とも呼ばれたカリ・レイクは、「州知事になったら移民をすぐさま送り返す」と掲げて州知事選に挑み、接戦で敗れたものの、かなり票を伸ばした。レイクは2024年にトランプが共和党の大統領候補となった場合の有力な副大統領候補ともみられている。上院議員の座をめぐって民主党の現職マーク・ケリー候補を追い上げていたトランプ推薦のブレーク・マスターズ共和党候補も、「不法移民による侵略を止める」「トランプの『壁』を完成させる」と連日攻勢を強めた。バイデンはこの問題で攻撃され、選挙で守勢に立たされていた民主党候補の訴えを聞き入れる形で、隙間を埋める「壁」の建設を決定したのである。

民主党は中間選挙で事前に予想されたほどの大敗は免れたが、その移民・難民政策、犯罪対策に疑問を抱く有権者からの支持を失い始めている。これらの政策については、有権者は民主党より共和党の方に信任を置いているという世論調査の結果もある。[*1] 移民・難民問題に関するハリスの曖昧な態度は、民主党が直面しているジレンマを反映したものでもある。

「アイデンティティ政治」の失敗事例？

ハリスの失墜はしばしば、バイデンが彼女の政治家としての資質ではなく、黒人で女性という彼女の「アイデンティティ」を理由に副大統領に選んだからだという歪んだ理解をされてきた。こうしたハリスへのバッシングは、共和党の政治家や共和党寄りのメディアで数限りなく展開されてきた。

本章でも述べてきたように、ハリスは間違いなく有能な人物だ。もっとも、だからといって「アイデンティティ」が関係ないとはいえない。ハリスがその「アイデンティティ」ゆえに人々、特に社会でさまざまに差別されてきた人々に大きな希望を抱かせたことは事実だ。昨今、アメリカの政治社会における差別の問題を理解する際、キーワードとして重視されている概念が「インターセクショナリティ（intersectionality）」だ。「インターセクショナリティ」とは「交差」という意味で、キンバリー・クレンショーという黒人女性アクティビストが生み出した言葉だ。その含意は、社会にあるさまざまな差別や抑圧は複雑に絡み合っており、そこにあるのは「差別／抑圧する側」と「差別／抑圧される側」の単純な二項対立ではない、それゆえにさまざまな差別や抑圧に目を向け、複合的な抑圧構造のもとで虐げられている人の声を聴き、社会を変革していこうというものだ。例えば、黒人でも、女性が経験する差別と性的マイノリティが経験する差別があり、彼らが経験する差別は白人の性的マイノリティが経験するものとも異なる。だからこそ、マイノリティ同士の連帯はしばしば難しいが、その原因となっている複合的な差別と抑圧構造を自覚してこそ、連帯への道は拓かれる。インターセクショナリティは差異を超えた連帯のための概念でもある。

ここに、ハリスに期待が集まる一つの理由があった。黒人でありアジア系であり女性である彼女ならば、こうした複雑に交差する抑圧を理解し、それを解決するようなイニシアティブをとって政策を実行してくれるのではないか、と多くの人が期待した。だからこそ、警察予算の問題や移民・難民問題で、ハリスが必ずしも明確に進歩主義的な態度をとらず、中道を模索する傾向にあったことは、人々により大きな幻滅を与えたのである。

中道であることの難しさ

自伝でハリスは、世の中の政策論争はしばしば「誤った二者択一」に陥っているとして、そうした問題の設定の仕方を拒絶するスタンスを表明している。ハリスはかつて、タウンホールミーティングでトランプ支持者から「アメリカ市民よりも不法移民のことを気にかけているようだ」とヤジを飛ばされた。しかしハリスから見れば、これは典型的な「誤った二者択一」であった。アメリカ市民と安定した法的地位を持たない移民、両方を気にかけることは可能であるとハリスは考えていた。

またハリスが見るところ、警察をめぐる議論も「誤った二者択一」に陥っていた。警察に対して過剰な権力の行使をやめるよう要求しつつ、犯罪者を厳格に取り締まってもらうことは可能であり、警察を擁護して存続させるのか、批判して解体させるのかといった論争は、ハリスから見れば不毛なものであった。

こうした主張には、ラディカルな選択肢を排し、できるだけ多くの人が受け入れることができる選択肢を模索する、中道の政治家としてのハリスのスタンスがよく表れている。黒人女性として革命的な政治キャリアを歩んできたハリスだが、こうした中庸の政治スタイルを貫いたがゆえに、急進派という過度の警戒を招くことなく、これまでメインストリームで成功を納めることができた面も確実にある。

今日のアメリカ社会は、ますます右傾化する共和党支持者と左傾化する民主党支持者が、新型コロナ対策や中絶問題など、あらゆる問題で対立を深め、内戦の可能性すらささやかれるような状況である。それでも分断を乗り越えたアメリカを信じるならば、本当はハリスのように中道を模索する政治家がもっと増えることが望ましいのかもしれない。その一方で、政治社会が両極化する中で政治家たちが中道路線を掲げ、選挙に勝てるだけの支持を集めることはだんだん難しくなっている。

さらには今日のアメリカにあって「中道」とは何かという根源的な問題もある。ハリスが中道とみなしてきた政策の多くは、今日の民主党支持者、特に今後、社会でいよいよ重要性を増していく若い有権者の目にはあまりに保守的に映るものだ。警察問題にしても移民問題にしても、ハリスの主張は一貫しておらず、確固たる軸を持った政治家とみなすことは難しい。また、生まれてからこのかた経済格差が肥大化するばかりの時代を生き、資本主義経済にいよいよ幻滅を深めるZ世代にとっては、経済格差を批判しつつも資本主義体制そのものには批判意識を持っていないかのようなハリスの言動は、生ぬるいものでもある。ハリスが有権者の支持、特に若い世代の支持を回復していこうとするならば、自身の政策的な軸を固め、「どっちつかずの中道の政治家」というイメージを脱皮していけるかが鍵となるだろう。ただ、それは意識的に中道を追求してきたハリス自身の政治信条にかなうことではないのかもしれない。

#Me Too運動へのダブル・スタンダード？

　ハリスはフェミニストたちからの圧倒的な期待も背負ってきた。それは単に初の女性副大統領となったからではない。ハリスはそれ以前から「性暴力と敢然と戦うフェミニスト」とみなされてきた。その名声を確立したのが、２０１８年、連邦最高裁判事候補となったブレット・カヴァノーに性暴力疑惑が持ち上がったときであった。

　当時上院議員であったハリスは、上院司法委員会の公聴会におけるカヴァノーの尋問で主要な役割を果たした。ハリスは、学生時代にカヴァノーに受けた性暴力を告発したクリスティーン・ブラゼー・フォードに対し、「私はあなたを信じます」「全米のたくさんの人々があなたを信じると思います」と温かい声をかけた。当時のテレビ・インタビューでは、カリフォルニア州の司法長官だった時代に、何度か性的暴行の訴追に携わった経験に言及しながら、「法廷でそのことが確かにあったと証明することができないからといって、それが起こらなかったということにはならない」とも強調した。[*2] ＳＮＳでもカヴァノーの有罪は疑い得ないと積極的に発信し、カヴァノーが最高裁判事に承認された際には「この国の女性たち、男性であれ女性であれ性暴力のサバイバーたちの正義が否定された」と憤りを語っている。[*3]

しかしその後、こうした「性暴力と戦うフェミニスト」というハリスのイメージは覆される。2020年12月、当時のニューヨーク州知事アンドリュー・クオモ（民主党）にセクハラ疑惑が持ち上がった際、彼女は沈黙を貫いたのだ。

当時、クオモ知事は人気の絶頂期にあった。新型コロナ感染症が拡大する中、統計を多用したクオモの記者会見や、科学的知見に基づいたコロナ対策は、トランプの非科学的なコロナ対策のアンチテーゼとして高く評価された。2020年秋にはテレビ界の優れた業績に贈られる国際エミー賞功労賞の贈呈が決定されたほどであった（セクハラ行為の認定後、同賞は取り消し）。当時はバイデンに代わってクオモを民主党の大統領候補にしようという論調すらあった。

しかし2020年12月、元側近のリンジー・ボイランがクオモのセクハラ行為を告発し、これに促されて女性たちが続々と被害を訴える中で、クオモへの評価や信頼は一変する。2021年3月には、オカシオ＝コルテスらニューヨーク州の議員10数名がクオモの辞任を要求したが、バイデンやハリス、民主党の大物たちは、告発した女性たちに形ばかりの共感を示すことはあっても、慎重な姿勢を崩さなかった。

とりわけ、かつてカヴァノーの性暴力を厳しく糾弾して知名度をあげたハリスの沈黙は厳しい批判を招いた。ハリスはカヴァノーを糾弾したときとは一転、クオモの疑惑に関してはSNSでの発信も控え、記者からの質問も受けようとしなかった。その沈黙の理由については語っていない。しかし、共和党のトランプに指名されたカヴァノーの性暴力を厳しく糾弾しながら、反トランプの旗手として人気を集めたクオモの性暴力については党派的な理由で沈黙を貫いたのだとすれば、まさにそれは、敵に厳しく身内に甘いダブル・スタンダードである。ハリスは、少なくともそのように有権者に見られても仕方のない沈黙を守ってしまったのである。

ハリスを超えて――フェミニズムの未来

共和党の政治家や支持者が、ハリスは「能力」ではなく「肌の色と性別」を理由に副大統領になった、バイデンの誤った「アイデンティティ政治」の端的な事例だと不当な批判を展開していることは先に見た。しかし、ハリスを擁護する側も、彼女の政治家としての業績よりもその人種やジェンダーに注目する傾向があることも指摘しておく必要がある。

16カ月の間ホワイトハウスの報道官を務め、最後の記者会見で「皆さんは私に挑み、議論もしたし、意見が対立することもあった。これこそ民主主義の実践だ」という言葉を残して爽やかに辞任したジェン・サキ報道官（当時）は、*Politico*誌のポッドキャストに出演した際、ハリスは有色人種であり女性であるという「アイデンティティ」ゆえに不当に厳しい批判に晒されている、とハリスを擁護した。政治家としてのハリスの評価は、性差別と人種差別によって大きく歪められているというのだ。[*4]

ハリス批判の背後に人種差別や性差別が絡んでいることについてのサキの指摘は、的確であり重要だ。その一方で、ハリスに寄せられている批判のすべてを性差別と人種差別のせいだとしてしまうことで見えなくなるものがある。彼女に対する批判や幻滅は、黒人・アジア系初の女性副大統領として、差別や暴力のない平等な社会に向けて、ハリスがイニシアティブを発揮してくれることを期待していたフェミニストや進歩主義者の間にも広がってきた。

そうした批判のうち重要なものとして、ハリスは警察組織の暴力性・抑圧性から目を背け、拘束や投獄といった懲罰的なアプローチを過度に重視する「監獄フェミニスト」ではないかというものがある。アメリカにおいては警察も、人種差別的な思想から自由ではない。警察はすべての女性にとって安全をもたらす存在ではないのだ。脆弱な立場に置かれているマイノリティの女性にとっては、その安全を深刻に脅かしうる存在ですらある。こ

「アボリション・フェミニズム」を掲げるアンジェラ・デイヴィス

の点を鋭く指摘し、警察暴力をはじめあらゆる暴力を批判的な射程に収めた「アボリション（廃絶）・フェミニズム」を掲げてきたのが、世界的な学者で活動家のアンジェラ・デイヴィスである。１９４４年生まれのデイヴィスは、急進派のマルクス主義者として、また黒人解放運動のリーダーとして、アメリカ社会に巣食う黒人差別と、大量投獄を通じて利益を得ようとする民営刑務所が結合し、巨大な「産獄複合体（prison industrial complex）」が生み出されてきたことを長年糾弾してきた。その彼女が掲げてきたのが「アボリショニズム（abolitionism）」である。日本語では「廃絶主義」と訳されるこの思想の歴史は、奴隷制廃止運動の時代に遡（さかのぼ）る。警察による暴力、さらにはそうした暴力を許容する私たちの政治社会をラディカルに批判し、新しい非暴力的な政治社会秩序を打ち立てようとする思想である。

デイヴィスは、警察暴力に関するハリスの曖昧な態度、その根底にある保守的な態度を見抜いていた。そして、バイデンとハリスのトランプ陣営に対する勝利を賞賛しつつも、本格的な警察改革には消極的なバイデンとハリスの重い腰を上げるために、市民はいっそう声高に警察改革を求めていかねばならないと訴えてきた。[*5] レイプ、その他のジェンダー暴力を廃絶するには、加害者の投獄や処罰といった個人レベルの対応に終始してはならず、女性に対する暴力を生み出すより大きな構造を変革しなければならないという「アボリション・フェミニズム」の立場をとるデイヴィスから見れば、ハリスは留保なしにフェミニストと呼べる存在ではなかった。[*6]

ラディカルな社会変革を探求するデイヴィスの立場は、時代を超えて、Z世代のそれと重なり合う。Z世代の警察改革への支持は、他世代より20％弱高い。[*7] Z世代の間にも、ハリスを新しい時代のフェミニズムのアイコンとみなすことへの懐疑は広がってきた。

ジェンダー平等・人種平等の実現に向け、黒人女性が政権の中枢に入り込むことは、あくまでその第一歩に過ぎず、真に重要なことは、そのことが起点となり、これまで白人男性が権力の中枢を占めることで温存されてきた差別の是正への政策的な変化が起こることである。しかし、バイデン政権発足後、ハリスは、既存の権力構造における「女性ボス（girl boss）」としての地位にすっぽり収まってしまったのではないか、ハリスはラディカルな社会変革を追求する人物ではないのではないか――Z世代の間にはこうした疑問が広がってきた。彼らは歴代の政治家が繰り返してきた口先ばかりの改革論に心底うんざりし、公正な社会への実質的なアクションを求めている。

ジェンダー平等は、権力の中枢に入り込んだ「女性ボス」や時の権力者によって恩恵的に与えられるものではない、さまざまな運動や実践を通じて自ら勝ち取っていかねばならないものだ――こうしたZ世代のフェミニズムは今、大きな試練に立たされている。次章では、中絶の権利を求めるZ世代の戦いを見ていく。

第七章

揺らぐ中絶の権利

——Z世代の人権闘争

「母親や祖母より権利を持たない世代」

「これから成人する女の子たちは、その母親や祖母より権利を制限された、初めての世代になる」――2022年6月24日、連邦最高裁が憲法上の人工妊娠中絶の権利を保障したロー対ウェイド判決（以下、「ロー判決」）を覆したことの衝撃を表した言葉である。

ロー判決とは、1973年に連邦最高裁が人工妊娠中絶を行う憲法上の権利を認めた判決のことだ。判決以降、アメリカでは数十年にわたり、胎児が子宮外で育成可能になる妊娠24～28週間までの中絶が合法とされてきた。しかしロー判決が覆った結果、各州は自由に中絶を禁止・制限できるようになり、アーカンソー、アイダホ、ケンタッキー、ルイジアナ、ミシシッピ、ミズーリ、ノースダコタ、オクラホマ、サウスダコタ、テネシー、テキサス、ユタ、ワイオミングの13州で人工妊娠中絶を禁止する「トリガー（引き金）法」が施行され、中絶をほぼ全面的に禁止する州や、厳しい中絶制限を設ける州が続々と出てきている。大半は共和党地盤の保守州だ。

こうした状況を受け、中絶反対を掲げてロー判決の破棄を目指してきた人々は「命の勝利（「プロ・ライフ」の勝利）」と宣言している。アメリカにおける中絶論争は、胎児の命の擁護を掲げて中絶に反対する「プロ・ライフ（生命）」派と、身体に関する女性の自己決定権として中絶を擁護する「プロ・チョイス（選択）」派という二つの立場の戦いとして展開されてきた。前者は共和党支持者に多く、後者は民主党支持者に多いため、党派対立の様相を帯びる。

もっとも、中絶問題をプロ・ライフ（中絶反対）とプロ・チョイス（中絶賛成）という二者択一で語ってしまうことで見えなくなるものもある。プロ・ライフ派でも、極端な中絶制限を支持する人は少ない。[*1] カイザー・ファミリー財団による調査によれば、レイプや近親相姦による妊娠でも中絶は禁止とするような極端な中絶制限に反対する有権者は8割超にのぼる。共和党支持者でも、レイプや近親相姦の場合でも中絶を禁止とすることには70％が反対し、中絶の犯罪化には64％が反対する。[*2] 確かにアメリカには中絶の是非をめぐる対立があり、その対立は概ね、民主党支持者と共和党支持者との対立に重なっているものの、それを「分断」という言葉で片付けてしまうと、極端で非合理的な中絶制限には反対が多数派という事実が見落とされてしまう。

ロー判決破棄の背景――司法の保守化

中絶問題をめぐって、アメリカには確かにプロ・ライフ派とプロ・チョイス派の論争が起きてきたが、極端な中絶制限と、無制限の中絶容認の両極には大きなグレーゾーンがあり、だいたいの人々がこのゾーンに位置している。ロー判決も常に国民の多数派に支持されてきた。ロー判決の破棄を受けて、保守的な一部の州で進められた極端な中絶制限は、多数派の常識的な感覚からはかけ離れたものといえる。アメリカでは最高裁判事は大統領が指名し上院議員が承認する形で決まるが、トランプが大統領の時代に合計3名の保守派の判事が送りこまれたことで決定的に保守化した最高裁と、世論との乖離(かいり)が大きくなっているのだ。

トランプ自身は中絶問題にさほど関心を持っていなかった。リベラルなニューヨークで育った生い立ちもあり、実業家時代の1999年、NBCのインタビューで「私はとてもプロ・チョイスだ」と語っている。[*3] もっとも、トランプは自身の野望のためならば躊躇いなく意見を変える人間だ。2016年大統領選で共和党候補の座を射止めたトランプは、保守層の票を見込んで、法曹界を保守派判事で占拠することを目指すフェデラリスト・ソサエティに接近し、同協会のアドバイスに基づいて最高裁判事の候補者リストを公開するなどした。いずれも保守派で中絶反対の候補だった。そして大統領に就任すると、ニール・ゴーサッチ判事、ブレット・カヴァノー判事、そして2020年大統領選の投票日が迫る中で、エイミー・バレット判事と、合計3名の保守派判事を最高裁判事に指名し、共和党が多数派を占める上院での承認を実現させたのである。これによって最高裁判事の構成は保守派6名、リベラル派3名と、保守派の影響が決定的に強まることとなった。

2020年、再戦を目指して大統領選を戦う中で、トランプは誇らしげに1期目の「実績」を語った。「2016年、私はプロ・ライフを支持する大統領候補として立候補し、ホワイトハウスへの道を勝ち取りました。私はアメリカの歴史上、最もプロ・ライフな大統領として誇りを持って仕えてきました。私は任期中、胎児や母親のために非常に多くのことを成し遂げたのです」[*4]。そして再選した暁には、中絶反対派の保守派判事をさらに指名し続けると誓ったのだった。

トランプ自身の再選は実現しなかったが、トランプ政権下で進んだ司法の保守化は、しばしば「永久保守革命」とも称される。最高裁判事となった3名の判事の特徴は、ゴーサッチ(1967年生)、カヴァノー(1965年生)、バレット(1972年生)と、その若さにある。最高裁判事は終身職であるため、健康であれば今後、数十年にわたって判決に影響を及ぼす。また、トランプは最高裁のみならず、連邦控訴裁判所・連邦地方裁判所で226人の保守派の裁判官を任命した。このペースは、オバマやジョージ・W・ブッシュが1期で任命したペースをはるかに上回る。[*5] これらの裁判官の多くが保守的な傾向を持つとみられる。これもトランプ時代の遺産として、今後長くアメリカ社会に影響を与えることになる。

リベラルが中絶に反対した時代

現代のアメリカでは、支持政党で中絶問題に関するスタンスが分かれる傾向にあるが、歴史を遡れば、1973年に連邦最高裁によってロー判決が出された当時、中絶の権利は支持政党によってこれほどまでに賛否が分かれる政治問題ではなかった。例えば1977年の総合的社会調査（GSS）によれば、共和党支持者の39%が「いかなる理由でも中絶を認めるべき」だと答えたのに対し、民主党支持者では35%であった。[*6] 今とは逆転した数字だ。ニューヨーク州知事で後に副大統領となるネルソン・ロックフェラーや大統領夫人のベティ・フォードなど、著名な共和党支持者も中絶の権利を支持していた。共和党保守派の象徴的な存在でもあるバリー・ゴールドウォーターも妻ペギーの影響で中絶の自由化を支持し、アリゾナ州初の中絶クリニックを開設した「アリゾナ家族計画」の共同設立者となっている。逆に民主党議員では、エドワード・M・ケネディ上院議員やサージェント・

シュライバー副大統領候補など著名政治家が、中絶反対を公言していた。中絶問題が今のように政治化し、支持者の大きな関心事項となっていたら、まず見られなかったであろう光景だ。

また、今とは中絶反対運動の担い手も異なった。今日のアメリカで中絶反対運動の中心となっているのは南部の福音派プロテスタントだが、彼らはロー判決当時、必ずしも中絶に反対していなかった。プロテスタントの最大宗派であった南部バプテスト連盟は、一定のケースでの中絶を容認するとし、ロー判決も歓迎した。中絶は宗教や信仰の問題であり、妥協が不可能と度々いわれるが、歴史を辿れば同じ宗教団体でも、それを取り巻く政治的・社会的な状況の変遷の中でさまざまに中絶問題へのスタンスを変えたり、修正を加えたりしてきたのである。

ロー判決以前のアメリカで中絶反対運動の中心となったのは、「弱者の党」として福祉路線を追求する民主党を支持するカトリック教徒だった。「中絶は、女性が子どもを拒絶して起きるのではなく、社会が妊婦を拒絶することによって起きる」――これが彼らの基本的な考えであり、この考えのもと、貧しい女性が中絶を選ばざるを得ないような社会状況をなくすために、低所得の母親の支援やヘルスケアの充実が追求された。彼らは１９３０年代にはフランクリン・ルーズベルト大統領によるニューディール政策を、1960年代にはリンドン・ジョンソン大統領による「貧困との戦い（War on Poverty）」を熱烈に支持し、中絶の制限は民主党のリベラルな理念に合致すると信じていた。歴史的に見れば、「リベラル＝プロ・チョイス」の図式は決して自明のものではない。

ロー判決以前は、その後プロ・ライフ派として知られるようになる共和党の保守政治家でも、中絶問題にほとんど関心を持っていなかった。その典型がロナルド・レーガンである。1967年、カリフォルニア州知事だったレーガンは、事実上中絶を非犯罪化する法案に署名した。後にレーガンは署名への後悔を語り、1980年大統領選では自分が大統領になったら中絶に反対する判事を、最高裁やその他連邦裁判所の判事に任命すると約束した。ここに現代の中絶反対運動の原型ができあがったといえる。以降、中絶反対運動は、共和党の保守政治家と結びつき、中絶反対の最高裁判事を任命することを通じて、ロー判決を覆すことを目指す政治運動という性質を強めていく。

この変化に伴い、中絶反対運動の中心的な担い手も、民主党を支持する北部のカトリック教徒から、南部の福音派へと転換していった。福音派が、今日のような熱烈な中絶反対の立場を打ち出すようになったのは、あくまでロー判決後のことだったのである。中絶の問題を伝統的価値観への脅威として捉えるフィリス・シュラフリーのような保守派の活動家は、福音派を強力な共和党の支持層へと転換しようと教会への働きかけを強めていった。シュラフリーら保守活動家が中絶の禁止によって守ろうとしたのは、胎児の命よりも、伝統的な家族観であった。こうして中絶反対運動は、女性の役割を家庭に限定しようとする反フェミニズム運動としての性質を強く帯びるようになる。

1980年大統領選をレーガンが制したことで、中絶反対派はホワイトハウスに強力な味方を得ることになった。中絶制限は、かつてはセットで語られていた低所得女性への支援の拡大やセーフティネットの拡充などのリベラルな政策と切り離され、福祉国家に敵対的な保守派のアジェンダとなったのである。

保守派の悲願は、トランプ時代に達成されたといってよいだろう。トランプが4年間の在任中に3名の若い保守派判事を指名し、上院で承認されたことで、保守派判事が6対3の絶対多数となり、現在の「超保守化」した最高裁が誕生したことは先に述べた通りだ。

ギンズバーグ判事が見いだしていたロー判決の弱さ

2022年6月にロー判決が覆される前月、最高裁で内々に書かれた多数派意見の草案が外部にリークされ、アメリカ社会に激震が走った。意見書を起草したのは、保守派のサミュエル・アリートであり、その内容は、ロー判決を「甚だしい間違い」「根拠薄弱」と断ずるものだった。

もっとも、ロー判決に疑問を感じていたのは保守派判事だけではない。アメリカで最も尊敬されているリベラル判事の1人、ルース・ベイダー・ギンズバーグも、ロー判決に深刻な問題を見てとっていた。ギンズバーグは1993年にビル・クリントンの指名で史上2人目の女性連邦最高裁判事となり、2020年9月に惜しまれつつ亡くなるまで、人権、特に女性やマイノリティなど社会的に弱い立場に置かれた人々の権利の擁護と推進に尽力した人物である。

ギンズバーグは、中絶の権利、つまり女性の身体に関わる自己決定権の揺るぎない擁護者であった。しかしだからこそ、ロー判決がその大事な権利を「プライバシーの権利」として認めたことに批判的だった。ギンズバーグは、中絶制限の根底には性差別があり、それこそが問題の核心であると考えていた。子どもを持つことは、女性の人生を大きく左右する重大事だ。望まない妊娠をし、意に反して子どもを持つことは、女性の人生を大きく変えてしまう。こうしたリスクは男性にはないものだ。子どもを産むかどうかについては女性自身が決定権を持つべきであり、それが実現して初めてジェンダー平等への道が拓かれる。こうした考えからギンズバーグは、中絶の権利はプライバシー権ではなく、男女平等によって基礎づけられるべきだと考えていた。

二〇〇〇年代後半、ギンズバーグは法廷で唯一の女性判事であったが、同僚の最高裁判事たちですら性差別的な観念から自由ではなかった。連邦政府による中絶規制の是非が争われた裁判で、アンソニー・ケネディ判事は規制に賛同し、「中絶することを選んだものの、中絶した後になって後悔する女性も相当いる」と述べた。こうした発言こそ、中絶制限論が性差別的な考えを持っていることの証左に他ならなかった。ギンズバーグから見れば、ケネディの発言は女性を男性のような知性や理性を持たない、半人前の人間とみなすものであり、女性が自分の人生を自分で決定できる自立的な主体であること、市民として男性と対等な地位を享受する存在であることを否定するものにほかならなかった。

人権の擁護と推進に尽力したギンズバーグ

1993年、連邦最高裁判事の候補者とし

て上院の公聴会に挑んだギンズバーグは、こう強調した。

「子どもを産むかどうかの決断は、女性の人生、女性の幸福と尊厳の核心である。（中絶を不当に規制することによって）この重大な決定を政府が代行することは、女性を、自分の選択に責任を持つことができる完全な人間として扱わないということだ」[*7]

この信念は生涯変わらなかった。2018年のインタビューでは次のように語っている。

「私が考える選択とは、プライバシーの権利でも医師の権利でもなく、女性が自分の運命をコントロールする権利、つまり、ビッグ・ブラザー（ジョージ・オーウェルのディストピア小説『1984』に登場する独裁者）に指図されることなしに選択できる権利なのです」[*8]

もっともギンズバーグは、ロー判決が性差別の問題を正面から受け止めていないことに不満を覚えつつも、その擁護者であり続けた。同判決が覆され、憲法で中絶の権利が保障されなくなり、中絶手術を認めない州が出てきた場合に、最も大きな影響を受けるのは貧困層の女性である。これらの女性は、そもそも金銭的な理由で中絶手術を受けることが難しい。加えて、自分が住んでいる州で中絶が制限されている場合、中絶手術を受けるために遠方の州へ行かねばならない。ギンズバーグは中絶の権利を擁護したが、それは命を粗末に考えていたからではない。彼女は弱き者の命と生活を守る最善の方法を常に考えていた。

ギンズバーグは、「命を守る」とはどういうことなのか、私たちに問いかける。「命は大事だ」と中絶に熱烈に反対してきたプロ・ライフ派は、生まれてきた子どものためのヘルスケア拡充策に同じような情熱を傾けることはない。プロ・ライフ派が多い共和党が議会の多数派を占めている州の方が、民主党が議会の多数派を占める州よりも乳児死亡率が高いという指摘もある。[*9] アメリカは先進国で唯一、国民皆保険制度がない国で、妊婦死亡率は先進国の中でも突出しており、育児支援もほとんどない。人々の命を守るためにやらなければならないことは、この国にはたくさんある。

母性を否定しない「新しいフェミニズム」？

大統領選の投開票日が迫っていた2020年9月にギンズバーグが死去し、彼女に代わって保守派のバレット判事が最高裁判事に就任したことの影響は、司法の世界に留まらない。2人はともに歴史上数名しかいない連邦最高裁の女性判事としてロール・モデルになる存在だが、その信条やスタンス、女性はどうあるべきかに関する考え方について対極的な存在でもある。バレットの判事就任は、ロール・モデルとされる女性像の変化をもたらす可能性がある。

アメリカ史上2人目の女性最高裁判事となったギンズバーグは、性差別や人種差別の是正、マイノリティの権利保護に尽力し、リベラル派のアイコンとして若い世代にもRBGの愛称で親しまれ、尊敬され続けている。中絶に関しても、女性の身体に関する自己決定権として一貫して擁護し続けてきた。これに対し、バレットは敬虔なカトリックであり、ノートルダム大学法学部教授時代の2006年1月、「ロー判決の野蛮な遺産を終わらせよう」と呼びかける新聞広告に添えられた中絶反対の手紙に署名した過去を持つ。法曹界やアカデミアで着実にキャリアを積み重ねる一方で、ハイチからの養子2人を含む7人の子どもの母親でもあるバレットを、保守派は「真にガラスの天井を打ち破る存在」と称え、プロ・ライフ派の若者には「新しいフェミニズム」のモデルとして崇拝する向きもある。

そして、バレット自身もそうした声を自覚している。トランプに最高裁判事に正式に指名された際の演説で、バレットは「子どもたちのおかげで、私たちの生活はとても充実しています。私は裁判官ですが、家庭ではルーム・ペアレント（子どもの学校のイベントを仕切る親たちのこと）、子どもの送り迎えをするドライバー、誕生会のプランナーとしてよく知られています」[*10]と、フルタイムで働いていても子育てには手を抜かない「よき母親」であることを強調した。また、上院の司法委員会で開かれた公聴会には、６人の子どもを連れて出席し、メディアの注目を浴びた。

またバレットは、養子を２人受け入れた自身の過去にも照らして、望まない妊娠の解決策は「中絶ではなく養子」という見解を示してきた。[*11] バレット判事就任当時、連邦最高裁の９人の判事のうち女性は３人、そのうち母親であるのはバレット１人だったが、それを理由にバレットをこの問題についてのある種の権威と見る人は少なからずいる。しかし、バレットは妊娠し、養子を受け入れた経験はあっても、中絶した経験も、産んだ子を養子に出した経験もない。バレットが強調するように大家族が素晴らしいものであるとしても、皆が彼女のように７人の子どもを育てるだけの経済力や、子育てをサポートしてくれる人間を持つわけではない。バレットが体現する「新しいフェミニズム」は、恵まれた女性たちに限定されたフェミニズムといえそうだ。

子どもを連れて公聴会に参加したバレット（2020年）

プロ・ライフとプロ・チョイスの二分法を問い直す

ここで述べてきたように、中絶問題の捉え方は決して宗教のみによって決定されるものではない。そのうえで、中絶問題の難しさが宗教的信条に関わる問題だからということも確かだ。カトリックの総本山のバチカンは、中絶反対の立場を崩していない。

しかしその一方でバチカンは、「命」の問題が決して中絶の問題だけではないことも繰り返し表明している。フランシスコ教皇は説教で、「中絶の罪のない犠牲者」について語るとき、「飢えや爆撃で死ぬ子どもたち」「よりよい明日を求めて溺れる移民」「お荷物扱いされている高齢者や病人」「テロや戦争、暴力や麻薬取引の犠牲者」などを並列して語り、それらの「命」すべてを大事にするよう説いてきた。また、教皇は繰り返し、多くの人間を貧困に追いやり、死に追いやってきた弱肉強食の経済構造や、人間や環境を単なるモノとみなして「使い捨てる」文化への反対を表明し、あらゆる「命」を守る行動を世界に訴え続けてきた。現在のアメリカでプロ・ライフ派を標榜する人々のどれほどが、こうした多様な「命」の危機に目を向けているだろうか。

翻ってプロ・チョイスも、中絶の合法性以上の、もっと豊かな意味合いを持つ主張のはずだ。昨今、生殖の権利とは、産むことを強制されないという消極的自由だけでなく、自分が望んだときに安全に子を産む権利や、産んだ子を健全な環境で育てる権利の行使も含むものであるという「生殖の正義」論が発展してきている。先に見たように、ロー判決以前のアメリカでは、「女性が中絶を選ばざるを得ない社会状況こそが問題だ」と考えるリベラルたちが、中絶問題をヘルスケアや貧困対策の問題と結びつけて理解し、社会全体の改革に身を投じていた。女性の身体に関する自己決定権は当然守られるべきだが、人間の決定は、その人間が生きている社会状況と無関係の真空で行われるわけではない。あらゆる女性たちが望ましい決定を下すことができるような、そんな政治社会を実現するための課題は山ほどある。

1人の女性の中にあるプロ・ライフとプロ・チョイス

ここでロー判決の元となった裁判について振り返っておきたい。

1973年に連邦最高裁が人工妊娠中絶の権利を認めたロー判決の訴訟は、1人の女性が原告だった。この訴訟が「ロー対ウェイド裁判」と呼ばれるのは、中絶の権利を求めたジェーン・ローが、中絶を禁じるテキサス州法を執行する立場だった地区検事ヘンリー・ウェイドを訴えたことによる（アメリカでは当事者の名前が裁判の名前となることが一般的である)。

もっとも「ジェーン・ロー」というのは訴訟のために用いられた仮名だ。本名は、ノーマ・マコービーで、提訴した1970年当時は22歳だった。すでに2回の出産を経験し、2人の子どもは養子に出していた。3回の妊娠の父親は全員違う。自伝では3回目の妊娠を知ったときに、「再び養子に出すのは嫌だった。自分の子どもをこの世に産みたくなかった」と記している。しかし、医師から中絶を断られたマコービーは、知人を通じて2人の女性弁護士を紹介された。弁護士たちは、中絶を禁じる法律を問題視し、訴訟を起こすための原告を探していた。弁護士の1人は後に「中絶を求めている妊娠中の女性で、かつ合法的に中絶手術ができる州まで行く資金がないことが必要だった」と語っている。マコービーは理想的な原告だった。そして1973年にロー判決を勝ち取ることになる。

もっともロー判決はマコービー自身の出産には間に合わなかった。マコービーは1970年に女の子を出産し、その娘を養子に出している。自伝でマコービーは、弁護士たちは私の運命には関心がなかった、私は彼らにとっては「書類上の名前」としての価値しかなかったのだ、と失意を示している。当初、中絶支持派はマコービーを理想的な原告とみなして近づいたが、1987年にマコービーが「自身の妊娠がレイプによるというのは嘘」

と認めて以降、理想的な原告でなくなったマコービーと距離をとり、軽蔑の目すら向けるようになった。

その後も中絶支持派の集会などに出席していたマコービーだが、1995年に劇的な転向を遂げる。キリスト教福音派の洗礼を受け、生命の大切さを説くようになり、中絶反対派に近づいていくのである。もっとも以降も、妊娠初期の中絶は支持するという主張は変えず、2017年、テキサス州ヒューストン近郊の介護施設で亡くなっている。

ノーマ・マコービー

中絶問題をめぐって翻弄されたマコービーの人生、その中絶問題についての立場の変遷を私たちはどう理解すべきだろうか。その理解をさらに難しくしているのが、彼女が死の直前に残した衝撃的な告白だ。自身が中絶反対へと立場を変えたのは、金銭を受け取ったからだと述べたのだ。その告白はドキュメンタリー番組「AKA Jane Roe（またの名はジェーン・ロー）」（2020年）に収められている。告白によれば、中絶反対派は「何をカメラの前で話すべきか」までマコービーに指導したという。

ロー判決の原告として中絶の権利の象徴的な存在であったマコービーを中絶反対派に転向させ、語らせることは、中絶反対の大義を広めようとする人々には非常に都合がよいことだっただろう。この告白後、マコービーはロー判決の原告としてよりはむしろ、「お金をもらって中絶反対に転向した女性」として語られるようになった。

マコービー自身が「中絶反対派から金銭をもらって、中絶に反対であるかのように演技した」と認めている以上、そうした評価はやむを得ない。しかし、中絶支持と反対の間でさまざまに揺れ動いたマコービーの人生は、1人の女性の中にも、胎児の生命を大事に考え、命を奪いたくないと考えるプロ・ライフと、自らの身体に関する自己決定権は奪われてはならないとするプロ・チョイスの考えの、どちらもあることを示しているのではないか。政治的態度としてどちらかの考えを表明したとしても、女性個人の中から、そうではない方の考えが完全に消えてしまうことはない。中絶問題は、1人の女性に宿る、両義的で曖昧で、白黒がつけられない心情を踏みにじる形で政治化され、党派対立の道具となってきた。それこそが問題とされるべきではないか。

「AKA Jane Roe」の番組ディレクター、ニック・スウィーニーは、中絶反対のドキュメンタリーを作ろうとしたのではなく、ただ、マコービーという1人の人間を知りたかったと話している。「選択か、命か」といった原則の問題に終始せず、ひとりひとりの女性の具体的な心情や境遇に寄り添って中絶の問題を理解すること。こうした視点も大事なのではないだろうか。

声をあげるZ世代

中絶の権利を力強く擁護する傾向はZ世代に顕著だ。ギャラップ社の世論調査によると、18歳から29歳のアメリカ人の48%が「いかなる状況でも中絶は合法であるべきだ」と回答し、「中絶は違法であるべきだ」と回答した11%を完全に凌駕している。[*12] 政治誌*Axios*によれば、18歳から29歳の女性の半数以上（56%）が、望まない妊娠や計画外の妊娠をした場合、たとえそれが違法であっても中絶をすると答えている。[*13] Z世代の女性たちにとって、自分の身体について自分が決定権を持つことはあまりに当然の人権感覚なのだ。彼女たちは、ますます中絶制限へのノーの声を大きくしている。

ロー判決破棄の前から、胎児の心拍が検出された後の中絶を禁止するハートビート（心拍）法が施行され、大々的な中絶制限が進んできた州の一つがテキサス州だ。心拍が確認されるのは通常6週目頃で、この時点で妊娠に気づく女性は少ないため、この法律は実質的に中絶を禁じるものである。ハートビート法は2021年5月、次期大統領選の候補とも目される筋金入りの保守主義者、グレッグ・アボット州知事の署名を経て成立した。

同法成立を受けて、翌月、同州のレイク・ハイランズ高校の卒業式でアクションを起こした1人の学生がいた。総代として卒業証書を受け取り、壇上でスピーチすることになっていたパクストン・スミスだ。パクストンは、事前に決まっていたスピーチの内容を予告なく変更し、「私たちは声を聞いてもらう必要がある」「今、私やこの州の多くの女性たちに影響を与えていること以外に何かを語るのは間違っていると思う」として、同法に影響を受ける可能性がある1人の女性として次のように同法を批判した。

私は避妊に失敗したら、レイプされたらと考えると恐怖です。そうなれば自分の将来の希望や願望、夢、努力などは奪われてしまう。自分の身体に関する自己決定権が奪われることがいかにつらいことか、いかに人間性を奪うことであるか、皆さんが理解してくれることを願います。*14

パクストンは当初は、中絶支持派の集会でスピーチすることや、インターネット上にスピーチを投稿することも考えていたが、卒業式と同じ社会的インパクトは見込めないと思い、卒業式でスピーチすることに決めたという。集会は何かに賛成したり反対したりするために、意見を同じくする人が集まる場であるし、今日のソーシャルメディア空間も「フィルター・バブル」効果で、あるイシューについて同質的な意見を持つ人のみが集う空間となりつつある。しかしパクストンは、中絶問題について、自分とは立場が異なる人、さらには真逆の人にも意見をぶつけて考えてもらいたかった。そのために、あえて卒業式を選んだのだ。その後、パクストンのスピーチ動画はYouTubeに投稿され、50万回超の再生回数を記録し、予想外の反響を生み出していった。

社会運動では勝っても、権力闘争では負けるリベラル?

先に述べたように、世論の多数派は、中絶を憲法上の権利と認めるロー判決を支持している。しかし、中絶の権利をはじめ人権についても重要な判決を下す最高裁は、保守派の判事が絶対多数となっている。社会運動やメディアを通じて、リベラルな価値観は着実に広まっているが、リベラル派は権力闘争では負けているともいえる。

*Washington Post*紙の映画評論家アン・ホーナデイは、ギンズバーグ判事が死去した際、

これで保守派判事が彼女の後任となり、最高裁が絶対的に保守化し、人権に深刻なバックラッシュが起きると予見し、次のように述べた。

リベラルたちが、リベラルな映画を視聴し、リベラルな価値観を確認している間に、保守派は別のゲームを展開していた。（中略）保守派は（選挙結果が自陣営に有利になるよう選挙区割りを操作する）ゲリマンダリングや投票妨害、保守系メディアなどを駆使し、州議会の議席や知事職を獲得し、有権者ＩＤ法や中絶制限など、彼らの政策パッケージを着実に実行に移してきた。[*15]

そしてホーナデイは断言した。「リベラルの勝利は空虚なものだった」と。共和党のやり方を「権力ゲーム」と批判することは容易（たやす）いし、人権や望ましい価値の実現に向けて、市民ひとりひとりが当事者意識を持ち、さまざまな社会運動に従事することはとても重要だ。しかし、この「権力ゲーム」に勝たないことには取り戻されない権利があることも現実だ。共和党は、社会においては保守的な価値観がだんだんと守勢に立たされている現実を踏まえ、早くからその主戦場を、最高裁や州議会の多数派を占めることに見定めてきた。そのことが、長年定着してきたロー判決が最高裁で覆され、その判決を受けてすぐに、共和党が州議会の多数派を占める州で中絶制限が進んできたことの背景にある。

最高裁の多数派を奪還するには数十年単位の戦略が必要だ。アメリカのリベラルは今、厳しい現実に直面している。

アメリカは今、人権の旗手といえるのか

ロー判決が覆ったことの影響は、国内に留まらない。アメリカは世界における人権推進のリーダーを自負し、国務省は毎年、世界各国の人権状況を取りまとめ、報告書を発表してきた。ロー判決の破棄は、人権の旗手としてのアメリカの対外イメージを大きく損なうものだったといえるだろう。

しかも、アメリカの動きは明確に世界的な潮流と逆行するものである。外交誌 *Foreign Policy* によれば、過去30年間に少なくとも世界の59カ国が中絶へのアクセスを拡大している[*16]。中絶へのアクセス拡大が見られる地域の一つが、ラテンアメリカだ。ラテンアメリカにはカトリック教徒が多く、レイプや近親相姦の場合でも中絶を認めないという厳格な立場をとる国が多かったが、近年「マレア・ベルデ（緑の波）」と呼ばれる、中絶条件の緩和

を求める市民運動が高まり、各国で中絶へのアクセスを容易にする変化が起こっている。他方、中絶を制限する方向に進んでいる国には、ロシア、北朝鮮、イランのような、アメリカが民主主義や人権の欠如を批判し、「価値観の違い」を強調してきた国も多い。中絶に関しては、むしろアメリカはこれらの国と「価値観を共有」する状況になってしまっている。

中間選挙が迫っていた2022年10月18日、バイデン大統領は、民主党が中間選挙の結果、下院の支配権を維持し、上院の過半数を占めることができた場合には、中絶の権利を明記した法案に、翌年初めにも署名する意向を表明した。結局、民主党は下院の多数派を失い、この法律の成立は不可能になったものの、保守化した最高裁の現状を鑑みたとき、立法は権利を守るための重要かつ現実的な方策といえるだろう。

他方で、権利は法律を制定すればすぐ守られるというものではない。ギンズバーグ判事は、「まずは国民から始めなければならない」と、権利の実現を立法府や裁判所任せにすることなく、市民ひとりひとりが自分の権利のために声をあげ、運動を組織することの重要性も説いていた。国家という「ビッグ・ブラザー」によって中絶の権利が脅かされることはあってはならないが、「ビッグ・ブラザー」によってただ上から与えられただけの権利も脆弱な基礎しか持ち得ない。ロー判決破棄によって大きく後退した中絶の権利を再び確立し、より強固なものとしていくために、アメリカの草の根から今後どういう動きが生まれていくか。注目したい。

権利を守る世代

2022年11月8日、アメリカで中間選挙の投開票が行われた。中間選挙は4年ごとの大統領選の折り返し点で実施される選挙で、連邦議会上下院議員や州知事など多くのポストが争われる。民主党には、6月のロー判決破棄が、政治的には民主党の追い風になるとの期待もあった。非営利団体カイザー・ファミリー財団が9月に調査したところ、有権者の半数、民主党支持者では7割近くが、6月の最高裁判決を契機に、中間選挙で投票する意欲が高まったと回答した。[*17] こうした調査結果を踏まえれば、中絶が選挙の一大争点になり、そのことが民主党に有利に働くという期待はまったく的外れというわけではなかった。しかし選挙日が近づくにつれ、民主党陣営の期待に暗雲が立ち込めた。インフレが止まらない中で、ますます多くの人々が、中絶問題よりも日々の暮らしに不安を抱き、生活に直結する経済政策に選挙の争点を求めるようになっていったからだ。

民主党は、中絶問題への関心が、特に女性を民主党支持へと動かすことを期待したが、「女性」は決して一枚岩ではなかった。選挙直前に行われた*Wall Street Journal*紙の調査で、郊外の白人女性の共和党支持は民主党支持を15ポイント上回り、この層の34％が中間選挙で最も重視する問題がインフレ問題であると回答し、中絶の権利と回答した16％を上回った。経済政策について、この層の共和党支持は圧倒的だった。現バイデン政権のもとで経済が間違った方向に向かっていると回答した人は74％に達し、経済の運営手腕がより優れているのはどちらの政党かとの質問には、50％が共和党と回答。民主党の35％を大きく上回った。インフレ対策については、55％が共和党の手腕をより信頼し、民主党は24％に留まった。[*18]

こうした世論を背景に、選挙直前になると、今回の中間選挙では大きな「赤い波」（赤は共和党のシンボルカラー）が起き、共和党が連邦議会上下院を奪還するという予測が支配的になっていった。しかし結果として、「赤い波」は「さざ波」程度のものに終わった。民主党は上院で多数派を維持し、下院の議席数も微減に留まった。

本来なら共和党が大勝できた選挙で民主党が善戦した大きな要因の一つが、若年層（18歳から29歳）の投票だった。ハーバード大学政治研究所（ＩＯＰ）による若年層の世論調査によれば、インフレに有権者の最大の関心が集まった今回の選挙でも、18歳から29歳の若年層の中絶問題への関心は高く、特に女性は中絶の権利を最大の関心事に挙げていた。

この世代はアメリカ民主主義の未来への危惧も大きい。先の調査によれば、アメリカが健全な民主主義国家であると信じる人はわずか4％で、29％が自分の投票権が何らかの形で損なわれると危惧している。[19] 若年層の政治意識や政治行動を調査するCIRCLEの出口調査によれば、この世代は中間選挙の主要な争点であった中絶、犯罪、インフレ、移民、銃規制の5つのうち、もっとも重要な争点として44％が中絶を選び、トップとなった。インフレを選んだのは21％だった。中絶問題をインフレを超える優先事項としたのはこの世代のみである。[20]

中絶の権利を支持し、民主党に投票する若年層の投票は、民主党候補と共和党候補の得票が拮抗する接戦州での結果に大きく影響し、民主党の全体的な善戦を支えた。今回の中間選挙での18歳から29歳の投票率は30％前後で、歴史上の中間選挙で2位の高さだった。そしてこの世代は、他世代に比べて圧倒的に民主党を支持している。ペンシルベニア州の上院選では、民主党候補ジョン・フェッターマンがトランプ推薦の共和党メフメト・オズ候補に3ポイントの僅差で勝利したが、18歳から29歳の若者の7割超がフェッターマンを支持し、オズを支持する28％を圧倒した。30歳から44歳の有権者で見ると、フェッターマン支持とオズ支持は55％対42％、45歳以上の有権者を見ると、オズ支持がフェッターマン支持を逆転する。

同様の傾向は、民主党・共和党両候補ともに5割を超える得票率でなかったことから12月の決選投票に持ち越され、その結果、民主党のラファエル・ウォーノック候補が勝利したジョージア州上院選にもいえる。若者の63％がウォーノックを支持し、共和党候補のハーシェル・ウォーカー支持の34％を凌駕した。30歳から44歳の年代になると、ウォーノック支持56％に対しウォーカー支持41％と差が詰まり、45歳以上の有権者になるとこの図式は逆転する。[*21] 若年層は２０２０年大統領選でのバイデンの勝利、そして今回の中間選挙での民主党の善戦の重要な立役者になったといえるだろう。

中間選挙の投票行動に現れた若者たちの危機感をどう理解すべきだろうか。アメリカの歴史は、人種や性別などのマイノリティが努力と闘争を通じて人権を獲得してきた歴史だ。しかしロー判決破棄によって、中絶の権利、つまり身体に関する自己決定権が大幅に縮減された。今のままでは自分たちはアメリカの歴史上、ほとんど初めて、権利の後退を体験する世代になってしまう——こうした切迫感が若者たちを、権利の擁護の旗印を明確にした民主党の支持へと駆り立てたといえよう。少なくない若者たちがまさに未来の人権や民主主義をかけて投票したのである。

Z世代へ未来をつなぐ

２０２１年1月20日、２０２０年大統領選に勝利したバイデンの大統領就任式が執り行われた。主役のバイデンや、豪華なファッションで着飾った参加者のおそらく誰よりも目立っていたのは、独りぽつんと、普段着のジャケットと防寒用のミトンをつけてパイプ椅子に座っていたサンダースの姿だった。ミトンはセーターをリサイクルしたもので、サンダースの地元バーモント州の教師からサンダースに贈られたものだという。サンダースの姿は、共感や親愛の声とともに、たちまちインターネットを駆け巡った。多くの人々にとっては、ルーティーン化した式典よりも、サンダースの姿こそがアメリカの今をよく伝えるものであったのだろう。

サンダースは*Teen Vogue*誌など、ティーンエイジャー向けのメディアにたびたび登場し、若者たちの不遇に怒り、若い世代が持つ変革のパワーへの期待を示してきた。サンダースは語りかける。あなたたちの世代は、アメリカの近代史上初めて、両親世代よりも

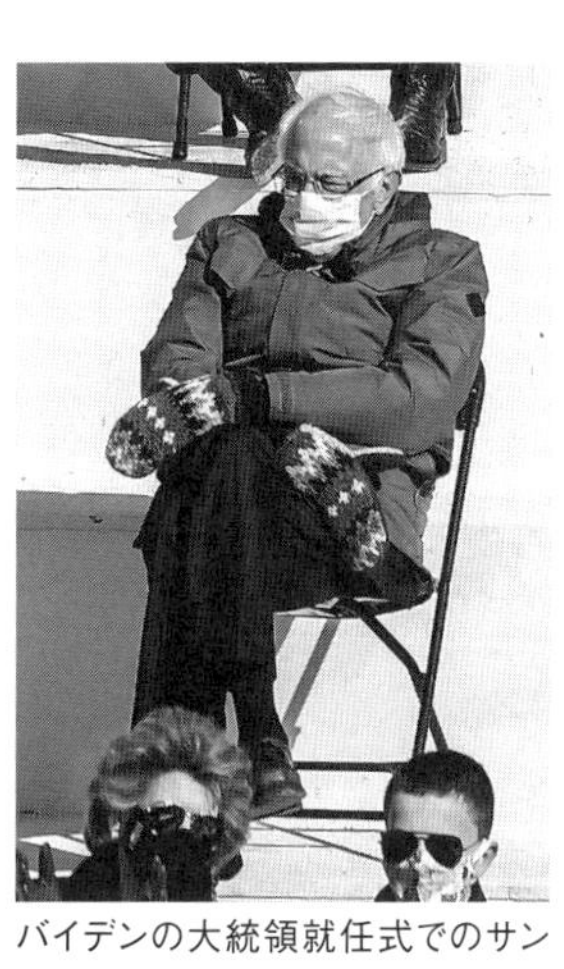
バイデンの大統領就任式でのサンダース

貧しくなる世代だ。多くの学生が多額の借金を背負って大学を卒業し、その後も長い期間にわたり、借金の返済に迫られる。収入は安定せず、結婚して子どもを持ち、家を買うことなど考えることすらできない。アパートの賃料は上がるばかりだ。私の目標は、今のアメリカ社会で苦境にあるすべての人々、とりわけ右肩下がりの社会で苦境を強いられ続けてきたあなたたちの世代のための政治だ、と。

こう述べてサンダースは若者たちに奮起を促す。あなたたちは、アメリカの歴史において最も進歩的な価値観を奉じ、あらゆる差別や偏見に反対する寛容と良識の世代だ。そのような世代であることを誇りに思うべきだ。あなたたちが年長の世代の市民と同じくらい投票に行くだけで、まったく新しい政治が実現できるのだ、と。[*22]

サンダースは大統領になれなかった。しかし、権力の座に上り詰めなければ政治が動かないわけではない。2016年、最初にサンダースが大統領選に挑戦したときに、国民皆保険や学生ローン債務の帳消しの主張は、「過激」とみなされ、「非現実的」だと一蹴する人もいた。しかし2018年の中間選挙では、サンダースの提唱する政策を支持するミレニアル世代の若手議員が多数、下院選挙で当選を果たした。本書でもたびたび触れたオカシオ＝コルテスはその代表格だ。2020年大統領選では、サンダースは民主党予備選でバイデンに敗れた。しかしすでにサンダースの勢力と支持層は、民主党でも無視できないものとなっており、学生ローン債務の帳消しなど、そのアイディアはより妥協的なものに内容を変えつつも、現バイデン政権に取り入れられてきた。

それでもZ世代がバイデン政権に向けるまなざしは厳しい。彼らが求める変化の大きさに比して、バイデン政権があまりに穏健すぎるからだ。しびれを切らすZ世代に対し、サンダースはこう語りかける。変化のスピードが遅々たるものでも、絶望や虚無に走ってはならない。アメリカの歴史において人種平等や女性参政権が長い時間をかけて勝ち取られ、いまだ戦いの途上であるように、富の格差や世代間の不公平も、すぐにその是正は実現しない。それでも自分たちの世代のためだけでなく、後世により公平な政治社会を残すために、今後長い時間をかけて、地道に戦って、実現されていかねばならないと。

2022年の中間選挙では、サンダースの公認を受けてフロリダ州でアメリカ史上初めてのZ世代の連邦議員（民主党・下院）が生まれた。当選した1997年生まれのマクスウェル・フロストは、「マス・シューティング（銃乱射による大量殺戮）世代」を自認する。アメリカでは、本来最も安全であるべき学校でも銃乱射事件が絶えない。直近の20年を見ても、バージニア工科大学（２００７年）、コネティカット州サンディ・フック小学校（２０１２年）などで銃乱射事件が起こり、多くの尊い命が奪われた。さらに死者49名を出したフロリダ州オーランドのナイトクラブ（２０１６年）や、死者58名を出したネバダ州ラスベガスの野外音楽フェスティバル会場（２０１７年）など、銃乱射事件の規模は大きくなるばかりだ。

初のZ世代連邦議員、マクスウェル・フロスト

　フロストは、サンディ・フック小学校の銃乱射事件を機に、銃規制を求める学生運動「私たちの命のための行進（March for Our Lives）」に従事し、長年オーガナイザーを務めてきた。「人生の半分を社会運動のオーガナイザーとして過ごしてきた」と自負する経験を活かして、銃規制、国民皆保険、気候変動対策、そして中絶の権利の擁護などを全面的に掲げて見事当選を果たした。

フロストは、裕福な家の出身ではない。彼は自身のアイデンティティを形成した原体験の一つとして、2011年9月、ニューヨークのウォール街近くのズコッティ公園で始まった貧困・格差是正運動「ウォール街を占拠せよ（Occupy Wall Street）」を挙げている。今回の選挙戦も、月2100ドルの家賃を折半し、Uberの運転手をして生活費を稼ぎながら戦った。フロストが労働者の権利や手頃な価格の住宅に誰もが住める権利を語るとき、それは彼自身の実体験に根差したものなのだ。現在のアメリカ政治はまだまだ富裕層を優遇するもので、もっと労働者の声を届けていく必要がある。それなのに労働者にとって、資金面の問題をはじめ、選挙への挑戦はまだまだ敷居が高い。フロストの当選は、こうした不公平な選挙構造の打破に向けた重要な一歩だ。

政治は今、誰によって、誰のために行われているのか。本来は、誰のためのものなのか。「過激」「急進的」と否定されてきた政策は、誰の目から見てそうなのか。レッテル貼りで市民にとって本当に必要な政策が阻まれてきたのではないか——こうした問いを投げかけながら、既存の政治を根本から問い直し、市民の目で政治を見つめ、市民の手に政治を取り戻すために戦ってきたサンダース。その戦いはさまざまに発展しながら、オカシオ゠コルテスらミレニアル世代の議員、そして、フロストらZ世代の議員へと受け継がれている。

おわりに

Z世代が向き合っている問いは、日本にいる私たちにとっても無関係のものではない。私たちはどのようなアメリカを求めているのだろうか。2022年2月のロシアによるウクライナ侵攻以降、日本でも「強いアメリカ」を求める声が強くなっている。バイデン政権はこれまでその声に応えるように、ウクライナを強力に支援し、その支援額は突出してきた。

しかし、今後も「強いアメリカ」は続くだろうか。アメリカ国民自身、そのことに懐疑的になりつつある。本書で見たように、アメリカが「超大国」として特別な地位を占めてきた世界が終わりつつあることを、アメリカ国民、特に若い世代は痛切に認識している。アメリカと世界の安全を守るのだとして、世界全体の約4割にあたる膨大な額の軍事支出が正当化され続ける一方で、感染症対策や社会保障の充実などはなおざりにされてきたとして「人間の安全保障」を求める声も強まっている。軍事的に「強いアメリカ」を追求するあまり、むしろアメリカ社会はさまざまな「弱さ」を抱えるようになった――アメリカの中で強まる懐疑の声に耳を傾けたとき、私たちはただただ「強いアメリカ」を期待するだけでいいのか、疑問が湧く。

また、「強いアメリカ」は本当に望ましいのか。このことも考える必要がある。アメリカはその巨大な軍事力や経済力を武器に、独善的な大義を掲げ、他国への軍事介入を繰り返してきた。巨大な力は驕り（おご）を生む。「強すぎるアメリカ」は、平和や正義と両立しうるのか。同盟国としての日本の立場を超えて、世界平和の観点から考える必要がある。

その一方で、ロシアが現在進行形で軍事侵攻を続け、被侵略国のウクライナをアメリカが強力に支援する今、アメリカを批判的に語ることは難しくなっているとも感じる。何も今、アメリカの過去の行いをことさらに暴き立てたり、批判的に見たりする必要はない、むしろそれはロシアのプロパガンダに用いられかねない、日米関係を揺るがす、そうした論調もある。

確かに現在、アメリカの独りよがりな世界関与が諸国家に混乱をもたらしてきたと最も声高に主張しているのは、ウクライナで侵略戦争を続けるロシアのプーチン大統領だ。2

022年5月9日、第二次世界大戦でナチス・ドイツに勝利したことを盛大に祝う戦勝記念日に、プーチンはウクライナに軍事侵攻したことの正当性を強く訴えた。その中で、アメリカをこう強く糾弾した。

（ウクライナで）ロシアが行ったのは、侵略に備えた先制的な対応だ。主権を持った、強くて、自立した国の判断だ。アメリカは、特にソヴィエト崩壊後、自分たちは特別だと言い始めた。その結果、全世界のみならず、何も気づかないふりをして従順に従わざるを得なかった衛星国にも屈辱を与えた。しかし、我々は違う。ロシアはそのような国ではない。我々は祖国への愛、信仰と伝統的価値観、先祖代々の慣習、すべての民族と文化への敬意を決して捨てない。

アメリカを貶めようとするプーチンの意図は明らかであるし、過去、そして現在アメリカがいかなる行動をとっていたとしても、ロシアのウクライナ侵攻が正当化されることは決してない。そのことを大前提としたうえで、「自分たちは特別だと主張して、世界各地で横暴に振る舞うアメリカ」というプーチンの認識は、まったく見当違いだといえるだろうか。ロシアを批判するのであれば、きっちりアメリカの行動も批判すべきである。そうであってこそ、私たちのロシア批判は国際社会に対して広く説得力を持つのではないか。

国際社会はロシアを強く批判する一方で、アメリカの秩序破壊的な行動は黙認する傾向にある西側諸国や日本のダブル・スタンダードを冷静に見つめている。そのことをよく示していたのが、２０２１年2月、ロシアがウクライナ東部2地域の「独立」を一方的に承認したことを受けて開催された国連安全保障理事会緊急会合で、ケニアのマーティン・キマニ国連大使が行った演説だった。キマニは「現在の国境に不満があるからといって、軍事力でそれを変更してよいことにはならない」とロシアを強く批判する一方で、「安保理メンバーを含む強国が国際法を軽視するここ数十年の傾向への強い非難」も表明した。ロシアの国際法違反を厳しく批判するアメリカもまた、同時多発テロ事件以降、世界各地で「テロとの戦い」に乗り出し、多くの命を奪ってきたことは、本書で見てきた通りだ。

キマニの意図はもちろん、アメリカを貶めることや、アメリカの過去の行動を持ち出して、ロシアの行動を正当化することにはない。その主張は、今ロシアを批判する側にも秩序破壊的な行動があり、その検証や反省も、国際規範の回復に向けた重要な条件だという、正義のさらなる普遍化の主張だ。国際秩序の維持により大きな責任を持つ大国が、国際規範を恣意的に適用したり、自分たちの規範逸脱的な行動について沈黙してしまえば、いよいよ諸国家は国際規範を信用しなくなる。アメリカが世界各地で展開した「テロとの戦い」とその帰結は、ロシアによるウクライナ侵攻を受け、平和や「法の支配」の重要さが改めて強調されている今こそ、批判的に、そして包括的に検討されるべきだ。今国際秩序を守ろうとする側が、そうした誠実さを見せることは、秩序や規範の再生に向けてとても重要なことである。

「アメリカを今、批判すべきではない」という主張は、アメリカを擁護するようでいて、アメリカ社会や市民を根本では信頼していない。日本にとってアメリカが重要な国であるからこそ、その正の面のみならず負の面も誠実に見つめ、批判すべきところは批判し、簡単には揺るがない成熟した関係を構築していくべきではないか。何よりアメリカ国内に、自国の過去の行動を誠実に、批判的に見据えた上で、世界との新しい関わり方を模索する世代が台頭してきている。私たちには、新しいアメリカを求める新しい世代の声に応えて、アメリカとの関係を構想し直していくことが求められている。

本書の執筆は、実に多くの方々に支えられた。同志社大学大学院グローバル・スタディーズ研究科の同僚たちからは、アメリカをグローバルな視野から相対化する視座や、抽象的な「国家安全保障」では守られない、さらには犠牲にされる人々の存在から「安全保障」を再考する批判的安全保障の視座など、研究を根本から見つめ直すきっかけとなる豊かな知見を日々、いただいてきた。とりわけ同研究科主催のグローバル・ジャスティス研究会「9・11同時多発テロから20年の今・世界を考える」と「今　戦争を考える」で、岡野八代先生、内藤正典先生、室蘭工業大学大学院の清末愛砂先生と、20年間の「テロとの戦い」を今どのように語り、未来の平和に生かしていくかを徹底的に議論した経験は、本書の考察にも大いに生かされている。

アメリカ市民による議論の力、そして変革の力を深く信頼するからこそ、アメリカの誤った行いについて、とりわけ他国の人間の命を奪い、人々の人生を大きく変えてしまったような対外行動については徹底的に批判すべきだ、ということを教えてくれたのは、西崎文子先生だ。本書を読んでくださった読者の心の中に、私が西崎先生の著作を読んだ後に生まれるような、未来のアメリカへの期待が生まれることを切に願う。

そして本書は、NHK出版の田中遼さんがいなければ誕生していなかった。同社のウェブメディア「本がひらく」の連載「NHK出版新書を探せ！」に登場させていただき、「例外主義」や「リベラリズム」という切り口からアメリカについて楽しくお話しさせていただいたのが、この本のきっかけになった。それから3年弱もの間、粘り強く執筆を励まし続け、刊行へと導いてくれた田中さんに心から感謝を捧げたい。

本書では、今のアメリカを「弱いアメリカ」と表現したが、これは否定的な意味ではない。自分たちの社会が抱えた脆弱さと向き合い、自国一国でできることには限界があると認め、他国との協調を模索していくことにも「強さ」がいる。そうした意味で今のアメリカには、軍事や経済で他を圧倒していた時代にはない「強さ」が生まれている。未来のアメリカが見せる新しい「強さ」に期待して、筆をおくことにする。

注

第1章

1 "The Anti-War Movement Could Be Reignited By Gen Z," *Teen Vogue*, January 6, 2022.

2 Richard Ullman, "The US and The World: An Interview with George Kennan," *The New York Review*, August 12, 1999.

3 Watson Institute International & Public Affairs, Brown University, *Costs of War Project*.

4 Donald Trump, "The Inaugural Address," *Whitehouse*, January 20, 2017.

5 Stephen Wertheim, "Trump against American Exceptionalism: The Sources of Trumpian Conduct," in Robert Jervis, Francis J. Gavin, Joshua Rovner, and Diane Labrosse eds., *Chaos in the Liberal Order: The Trump Presidency and International Politics in the Twenty-First Century*, Columbia University, 2018, pp.125–135; Hilde Eliassen Restad, "Whither the City Upon a Hill'? Donald Trump, America First, and American Exceptionalism," *Texas National Security Review*, Winter 2019/2020.

6 Elliot Hannon, "Trump Said He Doesn't Believe in American Exceptionalism; May Not Have Understood The Question," *Slate*, June 7, 2016.

7 Mohamed Younis, "Four in 10 Americans Embrace Some Form of Socialism," *Gallup*, May 20, 2019.

8 Steffie Woolhandler, et al., "Public Policy and Health in The Trump Era," *Lancet*, Vol.397, Issue 10725, pp.705–753, February 20, 2021.

9 Chris Moody, "Bernie Sanders' American Dream Is in Denmark," *CNN*, February 17, 2016.

10 "American Pride Hits New Low; Few Proud of Political System," *Gallup*, July 2, 2019.

11 "Poll: Young People More Likely To Defer Health Care Because Of Cost," *NPR*, December 7, 2018.

12 "Sanders Calls on Senate to Reject 'Exploding' Military Budget, Invest in Human Needs," *Senate Bernie Sanders Website*, June 30, 2020.

13 "Remarks by President Biden on America's Place in The World," *White House*, February 4, 2021.

14 "Remarks by President Biden on The End of The War in Afghanistan," *White House*, August 31, 2021.

15 "Remarks by President Biden on Afghanistan," *White House*, August 16, 2021.

16 "Majority of Americans Support Withdrawal from Afghanistan, But Criticize Its Implementation," *Chicago Council on Global Affairs*, September 2, 2021.

17 "America Adrift: How The U.S. Foreign Policy Debate Misses What Voters Really Want," *Center for American Progress*, May 5, 2019.

18 Chicago Council on Global Affairs, "Rejecting Retreat," September 6, 2019.

19 "Harvard Caps Harris Poll," *The Harris Poll & Center for American Political Studies at Harvard University*, March 23–24, 2022.

20 "War in Ukraine: What Should The U.S. Do Now?" *CBS News Poll*, April 10, 2022.

21 "Americans Support Giving Weapons to Ukraine — But That Support Declines with Russia's Threats," *YouGov America*, December 22, 2022.

22 "The GOP's Shift against Supporting Ukraine Hits A New Milestone," *Washington Post*, January 11, 2023.

23 Shibley Telhami, "What Do Americans Think of The Russia-Ukraine War and of The US Response?" *Brookings Institute*, March 31, 2022.

24 ルイス・ハーツ著、有賀貞訳『アメリカ自由主義の伝統』（講談社学術文庫、１９９４年）

25 「イアン・ブレマー『今起きているのは〝新冷戦〟だ』 ウクライナ侵攻は「Gゼロ」環境下で起きた最も大きな悲劇」ＡＥＲＡ ２０２２年3月28日号

26 "A Plea for Caution From Russia," *New York Times*, September 12, 2013

27 "Russia, China Contribute to Strengthening Multipolar World, Says Putin," *Tass*, March 20, 2023.

28 Fareed Zakaria, "Putin's War Reminds Us Why Liberal Democracy Is Worth Defending," *Washington Post*, February 24, 2022.

29 Inderjeet Parmar, "The US-led Liberal Order: Imperialism by Another Name?" *International Affairs*, Vol. 94, No.1 (2018); Samuel Moyn, "Beyond Liberal Internationalism," *Dissent*, Winter 2017; Samuel Moyn, "Progressive Critiques of Liberal Internationalism," *Lawfare*, February 5, 2019.

30 "National Security Strategy," *White House*, October 12, 2022.

31 "U.S. National Pride Falls to Record Low," *Gallup*, June 15, 2020.

32 "The United Nations: Do Americans Still Hate It?" *Washington Post*, April 26, 2012; "United Nations Gets Mostly Positive Marks from People around The World," *Pew Research Center*, September 23, 2019.

33 "New Poll: Young Americans Favor An 'America First, But Not Alone' Approach to U.S. Foreign Policy," *UN Foundation*, September 20, 2018.

第11章

1 Joseph R. Biden, Jr. and Michael Carpenter, "How to Stand Up to The Kremlin. Defending Democracy against Its Enemies," *Foreign Affairs*, December 5, 2017.

2 Joseph R. Biden, Jr., "Why America Must Lead Again: Rescuing U.S. Foreign Policy after Trump," *Foreign Affairs*, January 23, 2020.

3 Andrew Prokop, "The Change in Republican Voters' Views of Putin Since Trump's Rise Is Remarkable," *Vox*, December 14, 2016.

4 "Republicans Are Warming Up to Russia, Polls Show," *Morning Consult*, May 24, 2017. "Putin's Image Rises in U.S., Mostly Among Republicans," *Gallup*, February 21, 2017.

5 "Poll: As Ukraine Tensions Escalate, 62% of Republicans Say Putin Is a 'Stronger Leader' than Biden," *Yahoo! News*, January 26, 2022.

6 *Electoral Integrity Project Report*, 2020.

7 Brennan Center for Justice, *State Voting Laws*.

8 Anna Lührmann, Juraj Medzihorsky, Garry Hindle, Staffan I. Lindberg "New Global Data on Political Parties: V-Party," *V-Dem Briefing Paper*, No.9, October 26, 2020.

9 "Former President Trump Speaks at Conservative Political Action Conference," *C-Span*, February 26, 2022.

10 "Former Trump Adviser Steve Bannon Backs 'Anti-Woke' Vladimir Putin," *Newsweek*, February 23, 2022.

11 Ron DeSantis, *The Courage To Be Free: Florida's Blueprint for America's Revival* (Broadside Books, 2023).

12 "Vladimir Putin Says Liberalism Has 'Become Obsolete'," *Financial Times*, June 28, 2019.

13 "Signing of Treaties on Accession of Donetsk and Lugansk People's Republics and Zaporozhye and Kherson Regions to Russia," *President of Russia*, September 30, 2022.

14 "Presidential Address to Federal Assembly," *President of Russia*, February 21, 2023.

15 "Dear Mr. President," *Congressional Progressive Caucus Website*. October 24, 2022.

16 "Trump Called 'Cancel Culture' The Definition of Totalitarianism. But He's Tried to Cancel All These People and Businesses," *Vice*, July 15, 2020; "Trump Attacks 'Cancel Culture' - But Tried Recently to Cancel These People," *Forbes*, September 6, 2020.

17 "Valdai International Discussion Club Meeting," *President of Russia*, October 27, 2022.

18 "Putin Says West Treating Russian Culture Like 'Cancelled' JK Rowling," *Guardian*, Mar 25, 2022.

19 "Poll: 62% of Americans Say They Have Political Views They're Afraid to Share," *Cato Institute*, July 22, 2020.

20 "President Obama in Conversation with Yara Shahidi and Obama Foundation Program Participants," *Obama Foundation* ,YouTube.

第三章

1 "America's Image Abroad Rebounds with Transition from Trump to Biden," *Pew Research Center*, June 10, 2021.

2 *The Global State of Democracy Report*, 2021.

3 "Wide Partisan Divide on Whether Voting Is A Fundamental Right or A Privilege with Responsibilities," *Pew Research Center*, July 22, 2021.

4 "America Is Exceptional in The Nature of Its Political Divide," *Pew Research Center*, November 13, 2020.

5 Larry Diamond, Lee Drutman, Tod Lindberg, Nathan P. Kalmoe, and Lililiana Mason, "Americans Increasingly Believe Violence Is Justified If The Other Side Wins," *Politico*, October 10, 2020.

6 "In Views of U.S. Democracy, Widening Partisan Divides over Freedom to Peacefully Protest," *Pew Research Center*, September 2, 2020.

7 "Trends in The Distribution of Family Wealth, 1989 to 2019," *Congressional Budget Office*, September 27, 2022.

8 ブランコ・ミラノヴィッチ著、西川美樹訳『資本主義だけ残った——世界を制するシステムの未来』(みすず書房、２０２１年)

9 "Large Shares in Many Countries Are Pessimistic about The Next Generation's Financial Future," *Pew Research Center*, August 11, 2022.

10 "Americans Are Critical of China's Global Role – As Well As Its Relationship with Russia," *Pew Research Center*, April 12, 2023.

11 "Risk 9: Tik Tok Boom," *Eurasia Group's 2023 Top Risks Report*, January 3, 2023.

12 "By More Than Two-to-One, Americans Support U.S. Government Banning TikTok," *Gallup*, March 31, 2023.

13 "Poll: Gen Z Voters Oppose TikTok Ban, But Worry about China's Influence," *NBC News*, March 24, 2023.

14 "Americans Are Critical of China's Global Role: As Well As Its Relationship with Russia," *Pew Research Center*, April 12, 2023.

15 Yuyu Chen and David Y. Yang, "The Impact of Media Censorship: 1984 or Brave New World?," *American Economic Review*, Vol.109, No.6, June 2019.

16 "Generational Differences on US-China Relations," *The Chicago*

Council on Global Affairs, January 14, 2022.

第四章

1 "Public Opinion of The War in Afghanistan: 88% of Americans Approve of The Military Action." *Gallap*, October 31, 2001.
2 "IOP Survey: Strong Student Support for War." *The Harvard Gazette*, November 8, 2021.
3 "Foreign Policy and National Security Nationwide Online Survey." *Center for American Progress*, February 25–March 3, 2019.
4 "How The Post-9/11 Generaration 'Never Forgets.'" *Army Emergency Relief*, September 3, 2021.
5 クレイグ・ウィットロック著・河野純治訳『アフガニスタン・ペーパーズ——隠蔽された真実、欺かれた勝利』（岩波書店、２０２２年）
6 "Report on The Taliban's War against Women". *Department of State*, November 17, 2001.
7 "Radio Address by Mrs. Laura W. Bush." *George W. Bush Presidential Center*, November 17, 2001.
8 Rep. Carolyn Maloney Wears Burka on House Floor, *C-span*, October 16, 2001.
9 "U.S. Must Not Abandon Afghan Women." *Feminist Majority Foundation*, August, 2021.
10 中村哲『医者、用水路を拓く——アフガンの大地から世界の虚構に挑む』（石風社、２００７年）
11 "Support for Gender Equality: Lessons from The U.S. Experience in Afghanistan." *SIGAR*, February, 2021.
12 "Prepared Remarks of John F. Sopko, Special Inspector General for Afghanistan Reconstruction." *Brookings Institution*, February 17, 2021.
13 John R. Allen and Vanda Felbab-Brown, "The Fate of Women's Rights in Afghanistan." *Brookings Institution*, September 2020.
14 Watson Institute for International and Public Affairs, "Racial Profiling and Islamophobia." *Costs of War Project*.

第五章

1 "Obama Drone Casually Numbers A Fraction of Those Recorded by The Bureau." *Bureau of Investigative Journalism*, July 1, 2016.
2 "Naming The Dead: Visualised." *Bureau of Investigative Journalism*, October 26, 2014.
3 "Statement by The President on The Deaths of Warren Weinstein and Giovanni Lo Porto." *White House*, April 23, 2015.
4 Spencer Ackerman, "Victim of Obama's First Drone Strike: 'I Am The Living Example of What Drones Are'." *Guardian*, January 23, 2016.
5 Ryan Devereaux, "When Will Obama Apologize for All The Other Innocent Victims of Drone Strikes?" *Intercept*, April 24, 2015.
6 バラク・オバマ著、山田文・三宅康雄ほか訳『約束の地——大統領回顧録Ⅰ』上・下（集英社、２０２１年）
7 "Remarks by The President at The National Defense University." *White House*, May 23, 2013.
8 Azad Essa, "Activists Urge Nelson Mandela Foundation to Withdraw Obama Invite." *Aljazeera*, June 25, 2018.
9 "Remarks by President Biden on The End of The War in Afghanistan." *White House*, August 31, 2021.
10 Medea Benjamin and Nicolas J.S. Davies, "The U.S. Drops An Average of 46 Bombs A Day: Why Should The World See Us As A Force for Peace?" *Salon*, January 11, 2022.

11 "U.S. Central Command Releases Report on August Abbey Gate Attack," *Department of Defense*, February 4, 2020.
12 「米軍のアフガニスタン撤退は『惨劇』、米議会公聴会で海兵隊員が涙の証言」、*BBC NEWS JAPAN*、２０２３年３月９日
13 "Shoddy Mainstream Media Coverage of Afghanistan Has Created A Safe Haven for Bad Foreign Policy Ideas," *Security Policy Reform Institute*, August 27, 2021.
14 "Afghanistan Humanitarian Crisis," *UNHCR*.
15 "97 percent of Afghans Could Plunge into Poverty by Mid 2022, Says UNDP," *UNDP*, September 9, 2021.
16 "WHO Afghanistan Emergency Plan: Meeting The Health Needs of Afghanistan's Crisis-affected Populations," *WHO*, September -December 2021.
17 "Afghanistan Appeal: Humanitarian Action for Children," *UNICEF*, December 7, 2021.
18 Charlie Savage, "Spurning Demand by The Taliban, Biden Moves to Split $7 Billion in Frozen Afghan Funds," *New York Times*, February 22, 2022.
19 Daniel Boguslaw, and Austin Ahlman, "Family Members of 9/11 Victims Call on Biden to Unfreeze Afghanistan Funds," *Intercept*, March 3, 2022.
20 "Independent America: Inflection Point," *Eurasian Group Foundation*, September 28, 2021.
21 "Cornel West: Black Lives Matter and The Fight against US Empire Are One and The Same," *Middle East Eye*, June 12, 2020.
22 "Democrats' Sympathies in Middle East Shift to Palestinians," *Gallup*, March 16, 2023.
23 H.A. Hellyer, "Coverage of Ukraine Has Exposed Long-standing Racist Biases in Western Media," *Washington Post*, February 28, 2020.
24 "Europe Welcomes Ukrainian Refugees—Others, Less So," *AP*, March 1, 2022.
25 中村哲『医者よ、信念はいらない まず命を救え！——アフガニスタンで「井戸を掘る」医者』（羊土社、２００３年）
26 中村哲『天、共に在り——アフガニスタン三十年の闘い』（ＮＨＫ出版、２０１３年）
27 中村哲『医者、用水路を拓く——アフガンの大地から世界の虚構に挑む』（石風社、２００７年）

第六章

1 "The 2022 Midterms & Biden's Job Performance," *NPR/PBS NewsHour/Marist National Poll*, April 2022.
2 Rebecca Morin, "Kamala Harris on Kavanaugh Accuser: 'I Believe Her'," *Politico*, September 18, 2018
3 "U.S. Sen. Kamala Harris, in Ohio, Calls Brett Kavanaugh Confirmation A 'Sham' and 'Disgrace'," *Cleveland.com*, October 8, 2018.
4 "Psaki Says Harris Faces More Criticism Because She Is A Woman and Woman of Color," *Politico*, November 17, 2021.
5 "MLK Day Speaker Angela Davis: Biden-Harris Victory 'Does Not Mean That We Step Back'," *Bates College*, January 19, 2021.
6 "For Angela Davis and Gina Dent, Abolition Is The Only Way," *Harper's BAZAAR*, January 15, 2022.
7 "How Gen Z Is Responding to The Black Lives Matter Protests and The Implications for Brand," *Morning Consult*, June 2020.

第七章

1 "Americans Still Oppose Overturning *Roe v. Wade*," *Gallup*, June 9, 2021.

2 "KFF Health Tracking Poll," *Kaiser Family Foundation*, October 2022.

3 "Trump in 1999: 'I Am Very Pro-Choice'," *NBC News*, July 9, 2015.

4 "President Donald J. Trump Releases Letter to Pro-Life Leaders," *The American Presidency Project*, September 3, 2020.

5 "How Trump Compares with Other Recent Presidents in Appointing Federal Judges," *Pew Research Center*, January 13, 2021.

6 Andy Sullivan, "How Abortion Became A Divisive Issue in U.S. Politics," *Reuters*, June 25, 2022.

7 Louise Melling, "For Justice Ginsburg, Abortion Was About Equality," *ACLU Website*, September 23, 2020.

8 Jeffrey Rosen, *Conversations with RBG: Ruth Bader Ginsburg on Life, Love, Liberty, and Law* (Picador, 2020).

9 Arline T. Geronimus, John Bound, Rixin Wen, Christina M. Kinane, and Javier M. Rodriguez, "Partisan Control of U.S. State Governments: Politics As A Social Determinant of Infant Health," *American Journal of Preventive Medicine*, Volume 62, Issue 1, August 23, 2021.

10 "Remarks by President Trump Announcing His Nominee for Associate Justice of The Supreme Court of The United States," *White House*, September 26, 2020.

11 "Amy Coney Barrett's View: Adoption, Not Abortion," *New York Times*, December 18, 2021.

12 "Abortion Trends by Age," *Gallup*.

13 "Poll: Over Half of Young Women Say They Would Get An Abortion Even If It Were Illegal," *Axios*, May 11, 2022.

14 "Paxton Smith Speech at Lake Highlands Graduation," YouTube.

15 Ann Hornaday, "RBG and The Empty Triumph of Liberal Pop Culture," *Washington Post*, September 21, 2020.

16 "Roe Abolition Makes U.S. A Global Outlier on Abortion Rights," *Foreign Policy*, June 24, 2022.

17 "KFF Health Tracking Poll," *Kaiser Family Foundation*, October 2022.

18 Catherine Lucey, "White Suburban Women Swing Toward Backing Republicans for Congress," *Wall Street Journal*, November 3, 2022.

19 "Harvard Youth Poll," *Institute of Politics at Harvard Kennedy School*, Fall 2022.

20 "The Abortion Election: How Youth Prioritized and Voted Based on Issues," *Center for Information & Research on Civic Learning and Engagement (CIRCLE), Tuft University*, November 14, 2022.

21 "Millions of Youth Cast Ballots, Decide Key 2022 Races," *CIRCLE*, November 9, 2022.

22 "Bernie Sanders Believes Gen Z Is 'A Generation of Tolerance and Decency,'" *Teen Vogue*, July 11, 2019.

校閲　河本乃里香
　　　福田光一
ＤＴＰ　角谷 剛
写真提供　ユニフォトプレス

三牧聖子 みまき・せいこ
1981年生まれ。
同志社大学大学院グローバル・スタディーズ研究科准教授。
東京大学教養学部卒業、同大学院総合文化研究科博士課程修了。
米ハーバード大学日米関係プログラム・アカデミックアソシエイト、
高崎経済大学准教授などを経て現職。
専門はアメリカ政治外交史、国際関係論、平和研究。
著書に『戦争違法化運動の時代
――「危機の20年」のアメリカ国際関係思想』(名古屋大学出版会)、
共編著に『E.H.カーを読む』(ナカニシヤ出版)、
共著に『私たちが声を上げるとき
――アメリカを変えた10の問い』(集英社新書)、
共訳書に『リベラリズム 失われた歴史と現在』(青土社)がある。

NHK出版新書 700
Z世代のアメリカ
2023年 7 月10日 第1刷発行
2024年11月20日 第4刷発行
著者 三牧聖子
発行者 江口貴之
発行所 NHK出版
〒150-0042 東京都渋谷区宇田川町10-3
電話 (0570) 009-321(問い合わせ) (0570) 000-321(注文)
https://www.nhk-book.co.jp (ホームページ)
ブックデザイン albireo
印刷 壮光舎印刷・近代美術
製本 二葉製本

Printed in Japan ISBN978-4-14-088700-4 C0236

NHK出版新書好評既刊